DADANSODDI 14

DADANSODDI 14

Gwyn Thomas

Gwasg Gomer
1984

Argraffiad Cyntaf—Chwefror 1984

Comisiynwyd y gyfrol hon gan Awdurdod Addysg Clwyd

Cyhoeddwyd dan nawdd Cynllun Gwerslyfrau
Cyd-bwyllgor Addysg Cymru

Argraffwyd gan J. D. Lewis a'i Feibion Cyf.,
Gwasg Gomer, Llandysul, Dyfed.

CYDNABYDDIAETH

Dymunir diolch i'r canlynol am eu cymorth a'u cydweithrediad:

Diolchir i'r beirdd am roi eu caniatâd parod i ailgyhoeddi eu cerddi yma ac, mewn rhai achosion, i berthnasau agosaf y beirdd, am hwyluso'r ffordd inni a rhoi eu caniatâd caredig inni ailgyhoeddi'r cerddi hynny y mae'r hawlfraint arnynt yn eiddo iddynt hwy. Cysylltodd swyddogion Gwasg Gee a Gwasg Gomer ar ein rhan â rhai o'r perthnasau hyn, a dymunwn ddiolch iddynt am eu cymorth hynaws. Diolchwn, yn y cyswllt hwn, i Mr. T. Alun Williams, Gwasg Gee, a Dr. Dyfed Elis Gruffydd, Gwasg Gomer. Cydnabyddwn yn ddiolchgar hefyd gydweithrediad Mr. Gerallt Lloyd Owen, Gwasg Gwynedd, am roi caniatâd inni ddefnyddio 'Tân yn y Dŵr' Einir Jones, a gyhoeddwyd yn ei chyfrol *Gwellt Medi*.

Bu'r Cyd-bwyllgor Addysg yn uniongyrchol gyfrifol am gysylltu â Mr. Arthur ap Gwynn ynglŷn â chaniatâd i ddefnyddio cerdd T. Gwynn Jones, 'Y Saig'. Dymunwn gydnabod ei gydweithrediad parod.

Diolch hefyd i Gyngor Celfyddydau Cymru am ganiatâd i ddefnyddio'r lluniau o R. Williams Parry, T. H. Parry-Williams, Gwenallt, Euros Bowen, Waldo Williams, Alun Llywelyn-Williams a Bobi Jones; i *Y Cymro* am ganiatâd i ddefnyddio'r llun o T. Gwynn Jones; i'r B.B.C. am y llun o T. Glynne Davies (llun: Geoff Charles); ac i Mr. Gerallt Lloyd Owen, Gwasg Gwynedd, am y llun o Dic Jones. Diolch hefyd i'r beirdd, y trafodir cerddi o'u heiddo yn y gyfrol hon, am anfon lluniau ohonynt eu hunain atom.

CYNNWYS

RHAGAIR

Ymgais i ddadansoddi pedair ar ddeg o gerddi y tybiwn i eu bod yn werth ymdrafferthu â hwy a geir yma. Yr oedd cerddi eraill y byddwn wedi hoffi eu trafod ond bu'n rhaid rhoi'r bwriad heibio oherwydd pe bawn wedi gwneud hynny byddai'r gwaith wedi mynd yn or-faith.

Yn y dadansoddi hwn, ceisio cael at ystyr a theimlad ac argraff geiriau a wnaethpwyd. Nid wyf am awgrymu o gwbl fod *cyfansoddi* yn weithred debyg i'r *dadansoddi* hwn. Y mae dadansoddi yn weithgarwch ymwybodol; mewn cyfansoddi y mae llawer iawn o'r anymwybodol—er mai'r anymwybodol ar ôl ymdrech go solet i ymgyfarwyddo â geiriau ydyw. Dadansoddi, cyfansoddi: dyna ddwy wedd ar weithgarwch y dychymyg. Y cyfansoddi, wrth reswm, yw'r wedd bwysicaf. Y mae amryw wedi rhoi cynnig ar ddiffinio'r dychymyg, ac wedi llwyddo i ddweud gwirioneddau am y gweithgarwch hwnnw. Erbyn hyn fe ddywedwn i mai'r peth pwysicaf amdano yw mai meddwl â'r corff, meddwl trwy gynheddfau'r corff ydyw; sef defnyddio geiriau fel eu bod yn cael effaith gorfforol, fel eu bod yn gafael yn y system nerfol ac yn cydio yn y synhwyrau ac yn y cof.

Y nodweddion y mae dyn yn gobeithio eu bod i'w cael mewn dadansoddi llenyddol yw sylwgarwch—sylwgarwch o fywyd ac o lenyddiaeth. Y mae gwybodaeth o lenyddiaeth yn angenrheidiol hefyd: y mae pob gwaith llenyddol yn cymryd ei le mewn cyfangorff o lenyddiaeth ac y mae amryfal adleisiau llenyddol i'w cael trwy lawer o weithiau llenyddol—yn union fel y mae myrdd o adleisiau o luniau i'w cael mewn peintiadau, ac adleisiau cerddorol i'w cael mewn gweithiau cerddorol.

Y mae yna nifer o ysgolion o feirniadaeth lenyddol, wrth reswm, â'u pwyslais ar agweddau gwahanol—yn llenyddol, yn ieithyddol, yn gymdeithasol, yn seicolegol. I ba le y dylai pethau symud? Erbyn hyn yr wyf yn tueddu i feddwl mai peth dymunol, a pheth pwysig, fyddai i feirniadaeth lenyddol fynd i'r labordy. Byddai astudio pa fath o effaith y mae geiriau'n eu cael ar y system nerfol, ar weithgareddau corfforol, ar y cof, ac ar yr ymennydd sy'n cydio'r cwbl o'r gweithgareddau hyn yn ei gilydd yn waith diddorol. Hyn o ran y dadansoddi. Byddai astudio'r gweithgarwch sy'n rhan o'r weithred o gyfansoddi hefyd yn eithriadol o ddiddorol. Mewn gair, yr wyf yn credu y dylid cysylltu beirniadaeth lenyddol yn glosiach nag y gwnaethpwyd hyd yn hyn â bioleg dynol. Ond rhan o'r stori fyddai hynny hefyd.

Fe ysgrifennwyd y llyfr hwn ar gais Awdurdod Addysg Clwyd. 'Rwy'n ddiolchgar i Mr. G. Wyn Owens am ei wahoddiad i wneud y gwaith ac am ei gefnogaeth. 'Rwyf, hefyd, yn ddiolchgar iawn i Alan Llwyd, yn ei swydd gyda Chyd-bwyllgor Addysg Cymru, am ei ofal manwl wrth arolygu'r gwaith trwy'r wasg ac am ei gymorth hynaws yn cael hyd i luniau imi a rhai ffeithiau bywgraffyddol am y beirdd. Diolch, hefyd, i bennaeth Adran Gymraeg y Cyd-bwyllgor, Mr Iolo M. Ll. Walters am bob hwylustod.

Un peth arall, i'r Dr. Geraint Wyn Jones ar gyfer *Lleufer* yr ysgrifennwyd y tair erthygl ragarweiniol i ddechrau.

1. YSTYRIED RHYTHM

Dim ond ffŵl a fyddai'n rhoi cynnig ar ddiffinio beth yw'r gwahaniaeth rhwng rhyddiaith a barddoniaeth. Mae'r pwnc yn un eithriadol o gymhleth ac y mae'n llawer haws i rywun deimlo'i ffordd yn y tir dieithr lle mae'r gwahaniaeth na mynd yno efo twmpath o labeli i'w taro nhw hwnt ac yma. Eto y mae yna wahaniaeth sydd yn y pen draw'n hidlo drwy'r cymlethdodau yn argyhoeddiad sicr a syml fod y naill beth yn farddoniaeth, a'r llall yn rhyddiaith. Mae'n siŵr fod rhywfaint o wahaniaethau ynghylch yr argyhoeddiadau hyn mewn gwahanol bobl, yn enwedig lle mae barddoniaeth ddiweddar yn y cwestiwn. Felly wrth geisio codi arwyddion i geisio dangos y cyfeiriad yr wyf fi fy hun yn symud, 'dwyf fi ddim dan orfodaeth i blesio pawb. Eto, 'rydw i'n hoffi meddwl bod yna rywbeth amgenach na mympwy bersonol ar waith yn y codi arwyddion hyn, a bod chwaeth a feithrinwyd trwy ganrifoedd o farddoniaeth a chan wahanol bobl yn llunio rhyw fath o argyhoeddiad gwrthrychol.

Hynny yw, y mae rhywun dan ddyled i'r farddoniaeth o'r gorffennol y mae wedi'i darllen. Eto, o'r presennol y mae pob egni'n dod, ac y mae'r egni hwnnw'n gweithio ar yr etifeddiaeth a dderbyniwyd ac fe all ei newid. Yn wir, tuedd ein presennol ni yw gwrthod y gorffennol; ond y mae'n rhaid gwybod amdano cyn y gellir ei wrthod.

Y cwbl a wnaf fi yma yw dyfynnu rhai darnau, a gofyn i'r darllenydd ystyried pa rai o'r rhain sydd, yn ei farn ef, yn farddoniaeth. Mi rof innau fy marn wedyn a cheisio rhoi rhesymau drosti.

A. Ar stesion Caer y gwelais ef,
a mi ar y pryd yn crwydro'r platfform
yn aros
am y trên hanner nos.
Gŵr bonheddig
                    ydoedd
                              yn gyffredin,
diwylliedig, tawel, enciliedig.
Eithr
yr oedd sibrwd ei fod
yn ymhela â'r ddiod,
ac yn siaradus a phur
ddadleugar yr adeg honno . . .

B. Galarodd y gwin, llesgaodd y winwydden,
y rhai llawen galon oll a riddfanasant.
Darfu llawenydd y tympanau,
peidiodd trwst y gorfoleddwyr,
darfu hyfrydwch y delyn.

Nid yfant win dan ganu,
chwerw fydd diod gref i'r rhai a'i hyfant.
Drylliwyd y ddinas wagedd:
caewyd pob tŷ, fel na ddeler i mewn.

C. Yng nghwm Elan trist yw'r gwynt, crïa'r nentydd
ar eu hynt yn eu hiraeth am y prydydd fu'n y fro;
gwylio a gwrando ddydd a nos mae'r mynyddoedd
uwch y rhos, a'r afradlon nid yw'n dyfod ar
ei dro.

CH. A ddaethost ti
I gyfarch gwell
Ac i ddweud ffarwel
Wrth un sy'n disgwyl clywed sŵn y traed
Yn aros,
Sŵn y llais digyffro'n dweud
Fod y rhaff yn blingo crogi'n wag
Yng nghut yr angau.

Rhyddiaith yw darn A, cychwyn yr ysgrif 'Ar Hanner Nos' yn *Rhyfedd o Fyd*, E. Tegla Davies. Fe ellid corfannu'r llinell gyntaf:

v / v / v /v /
Ar stesion Caer y gwelais ef

ond 'does dim math o batrwm yn acennu'r dweud sy'n treiddio drwy weddill y darn, 'does dim patrwm rhythm yn ei ddal wrth ei gilydd. A 'does dim yn yr ystyr sy'n creu symudiad arbennig o gwbl. Felly, er bod y darn wedi'i dorri fel *vers libre* uchod, nid *vers libre* ydyw.

Mae'n anos dweud ar ei ben pa un ai rhyddiaith neu farddoniaeth yw darn B, sef dyfyniad o Eseia 24. 'Does dim patrwm mydryddol ffurfiol yma, bid siŵr, eithr y mae'r ystyr yn peri bod rhywun yn dod yn ymwybodol o rythm y dweud. Ac y mae'r rhythm hwnnw'n gyfraniad i gyfanswm yr ystyr ac i angerdd y mynegiant. Fy nhuedd i fyddai galw hwn yn rhyddiaith farddonol, onid yn farddoniaeth.

Fel hyn y dylid sgrifennu darn C:

Yng nghwm Elan trist yw'r gwynt,
Crïa'r nentydd ar eu hynt
Yn eu hiraeth am y prydydd fu'n y fro;
Gwylio a gwrando ddydd a nos
Mae'r mynyddoedd uwch y rhos,
A'r afradlon nid yw'n dyfod ar ei dro.

Pennill cyntaf y gerdd 'Cwm Elan' gan Crwys ydyw. 'Rwy'n meddwl fod yr odlau yn y darn, hyd yn oed pan yw wedi'i sgrifennu fel rhyddiaith, yn tueddu i ddangos inni'r patrwm mydryddol. Y mae'r rhythm patrymog yn cyfrannu i ystyr y darn hwn, ond ddim cymaint ag y mae rhythm amhatrymog darn B yn ei gyfrannu i hwnnw. 'Dyw'r rhythm amhatrymog yn narn C ddim yn cyfoethogi cymaint ar yr ystyr ag a wna rhythm darn B. Oherwydd hyn fe ddywedwn i ei fod o'n fydryddiaeth nad yw mor farddonol â B.

Er nad yw darn CH, sef pwt o'r bryddest 'Y Creadur' gan Harri Gwynn, wedi'i osod allan yn rheolaidd, eto y mae patrwm rheolaidd o rythm yn ei wthio'i hun arno, er enghraifft:

v / v / v / v / v /
Wrth un sy'n disgwyl clywed sŵn y traed

v / v
Yn aros,

/ v / v / v /
Sŵn y llais digyffro'n dweud.

Mae toriadau yn y patrwm mydryddol yn siŵr, ond y mae'r glust yn medru codi patrwm. Y mae'r patrwm hwn a thoriad y llinellau'n cyfrannu at gyfanswm ystyr y darn. Oherwydd hyn mi fyddwn i'n ei alw'n farddoniaeth.

A'r hyn yr wyf yn ei obeithio bod y darnau hyn wedi'i wneud yw peri i'r darllenydd ystyried rhan hanfodol rhythm mewn unrhyw farddoniaeth, ac ystyried bod yn y rhythm hwnnw duedd at batrwm a threfn, a bod rhythm yn cyfrannu'n bendant at yr ystyr mewn barddoniaeth, neu ryddiaith ag ynddi osgo at farddoniaeth.

2. SÔN AM SŴN

Yn 'Ystyried Rhythm' fe fuom yn sôn am rythm ac fe geisiwyd dangos bod rhythm yn gallu newid arlliw'r hyn a ddywedir a newid ei rym. Yn wir, gellir honni'n ddigon talog—fel y gwnaeth amryw—fod dweud dau beth sy'n eithaf tebyg o ran eu hystyr (i leygwyr anieithyddol) ond sydd â'u rhythm yn wahanol yn ddweud dau beth gwahanol.

> Diwedd sydd i flodeuyn
> Ac unwedd yw diwedd dyn,

meddai Goronwy Owen am fyrder bywyd. Dyma gyfleu'r un wybodaeth eto:

> Mae yna debygrwydd rhwng marw dyn a marw blodyn.

O ran synnwyr y mae'r frawddeg hon yn dweud peth digon tebyg i'r hyn a ddywedodd Goronwy, ond nid yr un profiad sydd yn y geiriau o gwbl. Y mae a wnelo'r gwahaniaeth rhythm â hyn. Y mae elfennau eraill yn cyfrannu at wahaniaeth effaith yma, yn sicr, elfennau megis odl a chynghanedd: eto'r rhythm sy'n cyfrannu fwyaf at y gwahaniaeth.

Fe dâl inni gofio cymaint o effaith sydd gan rythm ar eiriau mewn barddoniaeth gan ein bod yn byw mewn cyfnod sy'n tueddu i bwysleisio trosiadau a delweddau a ffigurau, a hynny braidd ar draul rhythm. Y mae gan rythm gymaint o allu i newid iaith ag sydd gan y trosiad. Ychwaneger at rythm gyflythreniad, cynghanedd ac odl a dyna ni'n cael y rhan fwyaf o'r elfennau sy'n medru newid iaith trwy sŵn.

Newid iaith ym mha fodd? Mae'n ddigon hawdd gweld y newid sy'n dod dros air pan fyddwn ni'n ei ddefnyddio fo'n llythrennol ac yna'n ei ddefnyddio fo'n drosiadol neu mewn cymhariaeth. Ystyriwch y ddwy frawddeg hyn:

> Y mae acw darw peryglus yn y cae.

> Daeth tarw o ddyn yn f'erbyn.

Yn y frawddeg gyntaf y mae'r gair *tarw* yn cael ei ddefnyddio mewn ystyr lythrennol. Yn yr ail y mae'r gair wedi newid ac yn cael ei ddefnyddio'n drosiadol i gyfleu nodweddion tarw ar ddyn. Y mae'r newid sy'n dod dros y gair yn amlwg ddigon. Ystyriwch rŵan ynteu y ddwy frawddeg nesaf yma:

> Treuliais fy ngwyliau haf mewn gwlad bell.

Rhwydd gamwr hawdd ei gymell—i'r mynydd
A'r mannau anghysbell;
Hel a didol diadell
Yw camp hwn yn y cwm pell.
('Y Ci Defaid', Thomas Richards)

Yn y ddwy frawddeg fe ddefnyddir y gair *pell* mewn ystyr lythrennol, ac eto y mae cymaint o wahaniaeth rhwng *pell* yn y ddwy frawddeg ag sy rhwng ystyr y gair *tarw* yn y ddwy frawddeg flaenorol. Elfennau sŵn sy'n cyfrif llawer iawn am y gwahaniaeth hwn. Dweud yr ydw i, mewn gwirionedd, fod y clyw yn cyfrannu cymaint (os nad mwy) at liw gair ag a wna'r llygad—neu ein synhwyrau eraill, o ran hynny.

Fel Cymry yr ydym wedi hen sylweddoli pwysigrwydd sŵn. Dyna pam y tyfodd y gynghanedd o fewn ein barddoniaeth. Wrth gwrs, 'dyw sŵn ar ei ben ei hun ddim yn ddigon. Mae sŵn yn cyfuno â synnwyr i roddi inni brofiad mewn barddoniaeth. Go brin fod yna brofiad, dyweder, mewn rhes o eiriau fel:

Mwnci, manna, mul a mêl

er bod yna ryw lun o rythm a chyflythreniad. Dyma sy'n esbonio, felly, pam nad ydi'r gallu i gynganeddu ddim, o angenrheidrwydd, yn gwneud dyn yn fardd. Yn wir, y mae miloedd o linellau o gynghanedd nad oes ynddyn nhw ddim profiad llenyddol.

Y mae'n rhaid ystyried amryw bethau heblaw sŵn yn cyfuno â synnwyr i geisio esbonio pam y mae geiriau'r englyn adnabyddus yma gan R. Williams Parry yn troi'n brofiad llenyddol, ond y mae sŵn yn bwysig yn y profiad:

Wedi ei fyw y mae dy fywyd,—dy rawd
Wedi ei rhedeg hefyd;
Daeth awr i fynd i'th weryd,
A daeth i ben deithio byd.

Pe bai rhywun yn troi at hwn â'r deall noeth fe allai honni mai ailadrodd yr un peth drachefn a thrachefn sydd yma:

1. Wedi ei fyw y mae dy fywyd = wedi marw
2. dy rawd wedi ei rhedeg hefyd = wedi marw
3. Daeth awr i fynd i'th weryd = wedi marw
4. A daeth i ben deithio byd = wedi marw

Onid symlach fyddai i'r bardd ddweud 'Y mae'r dyn wedi marw'? Yn sicr fe fyddai'n symlach, ond ffordd y bardd o ddweud am y farwolaeth hon sy'n rhoi inni'r profiad llenyddol o farwolaeth. Ac, wrth gwrs, y mae'r profiad llenyddol hwnnw'n cysylltu ar ei ben â'n profiad ni o farw, fel y gwyddom ni amdano yn ein byw-bob-dydd. Y mae'r profiad llenyddol sydd yn yr englyn hwn yn dibynnu i raddau helaeth ar sŵn—ar rythm, ar gynghanedd, ar odl. Y mae'r pethau hyn yn gymorth mawr i greu o'r ffaith noeth, sef bod gŵr wedi marw, y profiad llenyddol o'i farwolaeth.

3. Y NAILL BETH DRWY'R LLALL

'Fel wagan gynta'r rŷn'. Mae'r gyffelybiaeth hon yn un adnabyddus yn rhai o ardaloedd chwarelyddol y Gogledd i gyfleu digywilydd-dra. Creu argraff o'r digywilydd-dra trwy gyfrwng y wagan a wneir. Mae yna ddigonedd o enghreifftiau ar lafar o gyfleu un peth drwy gyfrwng rhywbeth arall:

> Fel caseg mewn cors (am wneud rhywbeth yn llafurus);
> Fel cangen ha' (am ferch dal);
> Fel gafr ar drana' (am berson gor-nwydus);
> Yn llwyd fel llymru (am rywun sâl a gwelw).

Fe ellid mynd ymlaen am dudalennau. Y mae pawb ohonom yn gyfarwydd iawn â chyffelybiaethau fel y rhain: y maen nhw, mewn gwirionedd, yn rhan o'n ffordd ni o siarad. Wrth sôn am un peth drwy gyfrwng rhywbeth arall yr ydym ni'n teimlo ein bod yn creu argraff gryfach ohono fo.

Yr un peth a geir mewn *trosiad* ond bod y cyswllt rhwng dau beth wedi'i ollwng—'does yna ddim *fel*. 'Hen garpan', meddir—gan ddefnyddio ffurf fenywaidd o 'cerpyn'—am wraig go dlodaidd; hynny ydi, fe wneir y wraig a'r cerpyn yn un yn lle dweud bod hen wraig *fel* cerpyn.

Ceir peth cyffelyb mewn *symbol*. Arwydd ydi symbol. Mae Z ar arwydd ffordd yn symbol o ryw fath fod troadau ar ddod. Mae'r groes yn symbol o Gristnogaeth; oen yn symbol o ddiniweidrwydd; cigfran yn symbol o farwolaeth. Y mae'r rhain i gyd yn symbolau cyfarwydd i'r sawl sy'n gynefin â llenyddiaeth, â chrefydd ac ag ofergoel: y maent yn symbolau traddodiadol. Gellid dadlau nad oes llawer o werth i symbol onid oes nifer o bobl yn gwybod beth yw ei arwyddocâd. Eithr mewn seicoleg, arwydd yn lle rhywbeth arall ydyw, arwydd a all gael ei godi i'r ymwybod yn lle rhywbeth arall, rhywbeth na ddymuna person ei gydnabod yn amlach na pheidio. Rhan o waith seiciatrydd ydi ceisio datrys y symbolau a gweld beth yw arwyddocâd rhai o'r lluniau sy'n codi i freuddwydion pobl. Breuddwydiodd Ffaro am saith buwch dew yn codi allan o afon, ac yna am saith buwch denau yn eu dilyn ac yn eu llyncu. Rhaid oedd iddo gael Joseff (fel seiciatrydd o flaen ei oes) i ddatrys y symbolau iddo ac i esbonio mai cynrychioli saith mlynedd o lawnder yr oedd y gwartheg tewion ac mai cynrychioli saith mlynedd o newyn yr oedd y rhai tenau. Yn yr hyn a elwir yn Farddoniaeth Symbolaidd, sef y farddoniaeth a ddaeth i fod yn Ffrainc yn ystod y ganrif ddiwethaf, un o swyddogaethau symbolau ydi creu argraff o fyd y tu hwnt i'r synhwyrau. Y mae llawer o'r cerddi sy'n perthyn i'r math hwn o ganu'n anodd am nad yw'r symbol yn cyfeirio'n ôl at ddim byd pendant; y mae'r bardd yn aml fel petai'n rhoi i'w ddarllenydd yr offer symbolaidd iddo greu ei wrthrychau ei hun. Ceir stori am y bardd Ffrangeg Mallarmé—gan ddangos ei hun dipyn,efallai—yn dweud wrth ei ffrind Hérédia: '"Rydw i newydd sgrifennu cerdd ardderchog, ond 'dydw i ddim yn ei deall hi'n hollol; 'rydw i wedi dŵad i dy weld di er mwyn iti ei hesbonio hi imi."

Wedyn dyna'r *ddelwedd*. Delwedd ydi'r hyn sy'n codi gwrthrychau i'r dychymyg a'r meddwl drwy gyfrwng y synhwyrau. Fe all delwedd fod yn gyffelybiaeth, yn drosiad, neu'n symbol. Y mae cryn dipyn o fynd ar y term hwn mewn beirniadaeth Gymraeg ddiweddar, ond nid peth newydd ydyw; o leiaf y mae ei swyddogaeth yn hen. Er enghraifft, byddai beirdd ar gychwyn y traddodiad Cymraeg, sef Aneirin a Thaliesin, yn creu argraff o'r arwyr yr oeddynt hwy'n eu moli trwy eu galw'n *byst cad*, yn *bileri*, yn *deirw* ac yn *llewod*. Mae'r pethau hyn yn creu argraff o gadernid, cryfder a ffyrnigrwydd ac felly y mae pethau megis y rhain yn ddelweddau arwrol. Mewn canu diweddar y mae creu delweddau drwy ysgytian y synhwyrau wedi dod yn gyffredin.

Dyma gerdd fer gan y bardd Gwynne Williams:

GLAS Y DORLAN

Acw,
        a gwrid
        o liw gwair,
            ambr
        a grug
        fel awel o fwg ar ei war
picia
        o ferw'r gro
        i'w allor gron
        rhwng gwraidd
        yr helyg a'r ynn
i gynnig
        a rhoi
i'r pigau rhwth
        aberth y dagr hen.

Mae'r bardd wedi creu argraff gref o'r aderyn ar ein synhwyrau. Fe ellid gadael y peth yn y fan yna. Eithr y mae cyfeirio at nyth yr aderyn fel '*allor*' ac at ei big fel '*dagr*' yn agor y gerdd allan, fel petai. Y mae'r aderyn hwn yn dwyn pethau eraill i'r dychymyg ac i'r meddwl. Y mae o'n ddelwedd sydd, er ei harddwch, yn creu argraff o galedwch a chreulondeb, creulondeb angenrheidiol os ydi ei gywion â'u '*pigau rhwth*' i fyw. Trwy'r gerdd fach hon y mae'r bardd wedi dweud rhywbeth am harddwch ac am greulondeb natur; mae o wedi gweld un peth drwy'r llall. Ac eto, yn y pen draw, un peth ydi'r cwbl.

THOMAS GWYNN JONES

Ganwyd ar 10 Hydref, 1871, yn y Gwyndy Uchaf, Betws-yn-Rhos, Clwyd. Pan oedd tua deg oed mudodd y teulu i Ddinbych ac yna i Abergele.

Oddieithr yr addysg elfennol a gafodd yn Llanelian, yr Hen Golwyn, a Dinbych, a pheth hyfforddiant mewn Groeg a Lladin gan offeiriad wedi ymddeol, ei addysgu ei hun a wnaeth.

O 1891 hyd 1909 bu'n gweithio ar amryfal bapurau newydd, yn bennaf yng Ngogledd Cymru. Fe dreuliodd ysbaid yn yr Aifft yn 1905 i geisio gwella o afiechyd. Yn 1909 penodwyd ef yn gatalogydd yn Llyfrgell Genedlaethol Cymru, Aberystwyth, ac yn y dref honno y bu fyw am weddill ei oes. Yn 1913 penodwyd ef yn ddarlithydd yn Adran Gymraeg, Coleg Prifysgol Cymru, Aberystwyth; ac yna, yn 1919, crewyd Cadair Gregynog mewn Llenyddiaeth Gymraeg iddo yn y coleg. Bu yn y gadair hyd ei ymddeoliad yn 1937.

Ar 8 Mehefin, 1899, priododd Margaret Davies. Bu iddynt dri o blant. Bu farw ar 7 Mawrth, 1949, a chladdwyd ef ym mynwent Heol Llanbadarn, Aberystwyth.

Yn ogystal â bod yn fardd ac yn ysgolhaig yr oedd T. Gwynn Jones yn gyfieithydd, nofelydd ac awdur llyfrau i blant.

Ef yw prif fardd cynganeddol ein canrif. Canodd gerddi ar fesurau cerdd dafod a bu'n canu cerddi cynganeddol nad oeddynt ynghlwm wrth y mesurau hynny. Y mae ei arddull, at ei gilydd, yn un aruchel ac yn yr arddull honno y canodd ei gerddi gorau. Ynddynt y mae mireinder a chyfoeth iaith. Yn ei ganu fe gyfleir, yn goeth a goludog, harddwch y byd naturiol. Ynddo hefyd y mae dyheadau arwrol a hynny mewn byd a oedd, fel y cyfleir ef yn ei waith, yn un digon siabi ar brydiau.

Gwlad y Gân a Chaniadau Eraill (1902)
Ymadawiad Arthur a Chaniadau Eraill (1910)
Detholiad o Ganiadau (1926)
Manion (1932)
Caniadau (1934)
Y Dwymyn (1944)

Y SAIG

Dim ond dy ben, ar ddysgl ar y bwrdd,
ynghanol y letys gwyrdd,
a'r gweddill wedi mynd i gegau eraill.
Dy lygad marw, odditan ei ffenestr welw,
megis merbwll bach tan rew,
a'th safn yn llydan agored,
wedi sefyll,
yn ystum rhyw chwerthin chwith—
fel pedfai digrif gennyt ti
dy dynged, wedi dianc yn dy dro,
rhag miloedd safnau'r môr,
dy ddal gan bryfyn tir,
a'th dreisio di i'th drwsio â dail, mor dwt,
wrth grefft y cogydd coeth
i blesio blys y safn a'r dannedd gosod,
a'r llygaid, hwythau tan eu gwydrau gwneud,
a fynn bob saig y sydd o dir a môr,
cyn mynd yn saig ei hun i bryfed llai.
Ac onid digrif hynny?
Diau. Chwardd.

Y SAIG

T. Gwynn Jones

Y DWYMYN (Gwasg Aberystwyth, 1944)

Tamaid blasus o fwyd yw 'saig'. A cherdd am damaid blasus o fwyd yw hon, ar un olwg.

Ar un olwg, pysgodyn yw 'saig' y gerdd. Ar ddechrau'r gerdd canolbwyntir ar ben y pysgodyn:

> Dim ond dy ben . . .

Cysylltir y pen â phethau, â dysgl ac â letus (*letys* y gerdd) gwyrdd. Pen ynghanol letus—mae elfennau comig yn y darlun annisgwyl yna. Y mae'r pen mor amlwg, fel y gwelwn, am fod y gweddill o'r pysgodyn wedi ei fwyta neu, fel y dywed y bardd, *wedi mynd i gegau eraill.* Y mae'r dweud hwn yn ein gwneud ni'n fwy ymwybodol o ddarnau o'r pysgodyn yn mynd i gegau nag y byddai dweud 'bwyta'.

Deuir yn nes at y pen, fel petai, gan ei archwilio'n fanwl a chan greu argraff fwriadol oeraidd ohono.

> Dy lygad marw,

a dyna'n sylw ni ar lygad y pysgodyn yn syth. Eir â ni'n nes:

> odditan ei ffenestr welw.

Un o nodweddion amlycaf ffenestr arferol yw eglurder; rhoddir inni ansoddair cwbl groes i hynny, *gwelw.* Manylir eto:

> megis merbwll bach tan rew.

Mae'r bardd yn gwneud ati i dynnu ein sylw at yr huchen welw sydd ar lygad y pysgodyn er mwyn pwysleisio mor farw ydyw.

Yna canolbwyntir ar geg neu, a defnyddio gair y bardd, *safn* y pysgodyn marw:

> a'th safn yn llydan agored,
> wedi sefyll
> yn ystum rhyw chwerthin chwith.

Y mae archwilio didrugaredd y bardd yn mynd yn ei flaen, y mae'n aros â manylyn arwyddocaol y safn agored.

Chwerthin chwith: dyma'r bardd yn meddwl am esboniad posibl am y geg agored. Yn y rhan nesaf hon y mae cryn dipyn o chwarae ar y gair *safn.* Sylwer, hefyd, ar y sylw arbennig a roddir i'r gair *digrif* yn y llinell

> fel pedfai digrif gennyt ti . . .

Sylwer ar y dyrnu cryf—i awgrymu'r anochel—sydd ar y llythyren *d* wrth sôn am dynged y pysgodyn:

> dy dynged, wedi dianc yn dy dro . . .

Ceir cyflythrennu, hefyd, yn y llinell:

> a'th dreisio di i'th drwsio â dail, mor dwt.

Y mae cynghanedd i bwrpas yn y rhan gyntaf o'r llinell:

> a'th dreisio di i'th drwsio . . .

Y pwrpas yw creu argraff daclus, waraidd o'r trais a'r bwystfil-eiddiwch sydd o dan y coginio moethus. Yna rhoddir inni dynerwch, lledneisrwydd tlws a theidi:

> â dail, mor dwt,

Cadarnhau'r argraff o foethusrwydd a soffistigeiddrwydd y mae'r llinell

> wrth grefft y cogydd coeth.

Yna y mae'r bardd fel petai'n tynnu ymaith y gorchudd oddi ar y lledneisrwydd ymddangosiadol:

> i blesio blys y safn a'r dannedd gosod,

Mae lle cryf i'r gair *blys* yma, mae'r cyflythreniad rhwng y gair a *blesio* yn helpu i roi ynni yn y gair. Yna daw'r gair *safn*, y gair a ddefnyddiwyd yn ei ffurf luosog am anifeiliaid rheibus y môr—*safnau'r môr*. Y mae yma raib safnau a *dannedd*; ond beth am y *gosod* yna—*dannedd gosod*? Y mae rhywbeth sydd bron yn ddi-chwaeth yn y *dannedd gosod* yma; mae dyn yn gallu perffeithio ei raib ymhellach na bwystfilod y môr, ac eto y mae yna rywbeth chwerthinllyd yn hyn.

A beth am lygaid y bwytawyr dynol? Y maent:

> hwythau tan eu gwydrau gwneud.

Mae'r bobol yn gwisgo sbectols. Y mae'r *gwydrau gwneud* yma'n mynd â ni'n ôl at lygad marw y pysgodyn:

> oddi tan ei ffenestr welw.

Cafwyd, hyd yn hyn, awgrymiadau o debygrwydd rhwng dynion a bwystfilod rheibus y môr ac awgrymiadau o debygrwydd rhwng dynion a'r pysgodyn sy'n cael ei fwyta. Dywedir pethau'n fwy plaen yn y ddwy linell nesaf. Mae'r safn a'r dannedd gosod a'r llygaid dynol yn mynnu:

> . . . pob saig y sydd o dir a môr,
> cyn mynd yn saig ei hun i bryfed llai.

Fe ddaliwyd y pysgodyn ag abwyd o bryf (pryf genwair neu fwydyn):

> dy ddal gan bryfyn tir . . .

Y mae pobl yn marw, ac yn eu tro, yn cael eu claddu a'u difa gan bryfed y ddaear. Pwy, felly, yw saig y gerdd? Yr hyn a wna'r bardd yw dangos, yn gignoeth, fod dynion—er gwaethaf rhyw neisrwydd arwynebol—yn gymaint o anifeiliaid rheibus ag yw bwystfilod y môr ac yn gymaint o saig â'r pysgodyn nad oes ond ei ben ar ôl. Yr hyn a gyflwynir yw darlun chwerw o ddynion fel anifeiliaid rheibus yn bwyta ac yn cael eu bwyta.

Ond wrth gyflwyno inni'r olwg chwerw hon o'r ddynoliaeth:

> Onid digrif hynny?

meddai'r bardd, a'i ateb ei hun:

> Diau. Chwardd.

Y mae gan y pysgodyn nad oes ond ei ben ar ôl le i chwerthin yn chwithig. Chwerthin chwithig: dyna sydd yn y gerdd hon, chwerthin ydyw sy'n llawn o chwerwedd a thristwch. Y mae'n chwerthin sy'n mynd y tu hwnt i siniciaeth ddychanol, lle ceir anobaith am stad dyn, i'r sardonig lle ceir y bardd ei hun yn rhan o anobaith y stad ddynol. Yn ei ffordd ddistaw ei hun y mae hon yn gerdd ddychanol frawychus.

ROBERT WILLIAMS PARRY

Ganwyd ar 6 Mawrth, 1884, yn Nhal-y-sarn, ger Pen-y-groes, Gwynedd. Ar ôl cyfnod fel disgybl yn ysgol sir Caernarfon ac ysgol sir Pen-y-groes aeth yn ddisgybl-athro. Rhwng 1902 a 1904 bu, yn ei eiriau ei hun, yn 'synfyfyriwr' yng Ngholeg Prifysgol Cymru, Aberystwyth. Methodd basio ei Gymraeg ar ddiwedd ei flwyddyn gyntaf yno. O 1904 hyd 1907 bu'n athro trwyddedig mewn ysgolion elfennol yng Nghymru a Lloegr. Yn 1907-08 bu'n fyfyriwr yng Ngholeg Prifysgol Gogledd Cymru, Bangor. Bu yno eilwaith yn 1910-11. Treuliodd aeaf 1911-12 yn Llydaw yn 'fyfyriwr ar ei fwyd ei hun' a'r haf yn Llŷn fel athro symudol. Enillodd MA am draethawd ar 'Gysylltiadau'r Gymraeg a'r Llydaweg'.

O 1912 ymlaen bu'n athro ysgol—yng Nghefnddwysarn; Y Barri; Caerdydd; Maldwyn—nes iddo gael ei benodi'n ddarlithydd rhwng yr Adran Gymraeg a'r Adran Efrydiau Allanol yng Ngholeg Prifysgol Gogledd Cymru, Bangor, yn 1921. Bu yno, yn anfoddog ar brydiau, nes iddo ymddeol yn 1944.

Yn Nhachwedd, 1915, fe'i cynigiodd ei hun i'r fyddin ar gyfer y Rhyfel Mawr. Fe'i gwrthodwyd oherwydd gwendid ei olwg. Y Tachwedd dilynol—1916—fe'i derbyniwyd gan y fyddin. Bu yn Berkhamsted; Winchester; a Llundain.

Fe briododd Myfanwy Davies ar 4 Gorffennaf, 1923. Bu ef farw ar 6 Ionawr, 1956, a chladdwyd ef ym mynwent Coetmor, ger Bethesda, Gwynedd.

Y mae R. Williams Parry yn fardd a ganodd i ddiddanwch cymdeithas dynion, i ryfeddodau ac enbydrwydd natur, i ryfel ac amser rhyfel, ac i fyrder brawychus bywyd.

Yr Haf a Cherddi Eraill (1924)
Cerddi'r Gaeaf (1952)

CANOL OED

Pan oeddwn yn llanc yn fy ngwely gynt,
A'r hafnos ddi-hedd heb un awel o wynt,
Tri braw oedd i'm blino yno ar fy hyd—
Mellt, Daeargryn, a Diwedd y Byd.

Am y mellt, gwn bellach mai tostaf eu pang
Pan ddilyn eu miwsig yn syth ar eu sang.
Pa delyn a dyr yn nhrybestod y ddawns?
Ar ddeddf tebygolrwydd y seiliaf fy siawns.

Mwy nid yw daeargryn ond chwedl a chwyth,
Rhyw ddychryn a ddigwydd, beunydd a byth,
I ran rhywrai eraill ohonom yw hi
(Ni ddigwydd y cancr nac un adwyth i *ni*!)

A diwedd y byd, nid disyfyd y daw,
Namyn gan bwyll, heb frys na braw.
Cans araf yw'r bysedd gynt a fu'n gweu
Miraglau'r synhwyrau, i lwyr ddileu.

O! pan na bo'r galon na chynnes nac oer
Y claeara'r haul, y clafycha'r lloer.
A phan rydd yr hydref ei ias i'r mêr
Y disgyn y dail yng nghoedwigoedd y sêr.

Cans diwedd mabolaeth yw diwedd y byd,
Dechrau'r farwolaeth a bery gyhyd.
Diwedd diddanwch, a rydd i'r hwyr
Ei ysbeidiau o haul cyn y paid yn llwyr.

Cyn dyfod diddymdra'r ddaear a'i stôr—
Fy synnwyr a'm meddwl, ei sychdir a'i môr.
Pan chwâl fel uchenaid dros ludw'r dydd
"Bydded tywyllwch." A nos a fydd.

CANOL OED

R. Williams Parry

CERDDI'R GAEAF (Gee, 1952)

Mae'r gerdd hon yn dechrau'n ddigon llac. 'Dyw'r geiriau ddim yn gyforiog o ystyr fel bod eu hailddarllen a myfyrio arnynt yn dod â goleuni newydd arnynt, neu brofiad newydd ohonynt. Yn wir, y mae'n ymddangos braidd fel pe na bai gan y geiriau:

> . . . heb un awel o wynt . . .
> . . . yno ar fy hyd . . .

fawr o bwrpas y tu hwnt i gynnal odlau â *gynt* a *Byd*.

Y mae'r tri braw a nodir fel y rhai a oedd yn blino'r bardd pan oedd *yn llanc* (cofier am y ddau air yma) yn swnio'n dra diniwed hefyd:

> Mellt, Daeargryn, a Diwedd y Byd.

Yn y tri phennill nesaf â'r bardd ati i ddileu ofnau ei ieuenctid fesul un. Y peth cyntaf i sylwi arno yw nad anrhydeddwyd y dychrynfeydd â phrif lythrennau erbyn hyn: y mae'r parchedig ofn wedi mynd. Dilëir yr ofnau'n gysáct, daclus, ddiri-dano—er gyda gwahanol arlliw o deimladau. Dyma'r mellt:

> Am y mellt, gwn bellach mai tostaf eu pang
> Pan ddilyn eu miwsig yn syth ar eu sang.
> Pa delyn a dyr yn nhrybestod y ddawns?
> Ar ddeddf tebygolrwydd y seiliaf fy siawns.

Y mae'r bardd wedi cynyddu mewn gwybodaeth, sef y wybodaeth fod mellt ar eu peryclaf pan fydd y taranau'n dilyn yn glòs ar ôl eu fflachiadau. Gyda chynnydd ei wybodaeth y mae'n sylweddoli nad yw'n debygol y digwydd dim niwed iddo gan fellt. Ceir rhyw fath o Q.E.D., diwedd theorem, doniol yn y llinell olaf.

Daeargryn: sylweddola'r bardd fod y fath bethau'n digwydd ond maent yn digwydd yn ddigon pell oddi wrtho ef. Q.E.D. eto. Ond, sylwer, yn y llinell olaf y tro yma y mae yna siniciaeth hunanol:

> Ni ddigwydd y cancr nac un adwyth i *ni*!

Beth am ddiwedd y byd ynteu? Y mae'r bardd yn dadlau yma, eto, yn ddigon didaro ei dôn nad oes perygl. Wrth nodi arafwch dyfodiad diwedd y byd y mae'r bardd yn arafu rhythm ei symudiad. Cymharer rhythm y ddwy linell hyn er mwyn gweld y gwahaniaeth rhyngddynt a sylweddoli arafwch yr ail:

/ / / /
Rhyw ddychryn a ddigwydd, beunydd a byth . . .

/ / / /
Namyn gan bwyll, heb frys na braw.

Y mae dychryniadau ieuenctid wedi mynd i gyd.

Yn y pennill nesaf y mae tôn y gerdd yn newid; y mae angerdd dwfn yn dod iddi. Yn nhri phennill olaf y gerdd crëir o'n blaenau arswyd gwirioneddol, sef *hen wae* marwolaeth, a oedd yn gymaint o ddychryn ar R. Williams Parry.

Yn y fan yma y down ni i weld arwyddocâd teitl y gerdd, 'Canol Oed'—gyda llaw, saith a deugain oedd y bardd ym 1931, dyddiad y gerdd. Y mae hen bennill Cymraeg sy'n dweud peth fel hyn:

Pan basio gŵr ei ddeugain oed,
Er bod fel coed yn deilio,
Fe fydd sŵn 'goriadau'r bedd
Yn peri i'w wedd newidio.

Dyna fynegi profiad nad yw, ar un olwg, yn annhebyg i'r un a geir yn y gerdd hon. Y mae yna graffter seicolegol wedi ei osod yn gryno yn y pennill. Y mae rhywbeth llawer amgenach a dyfnach na hyd yn oed hyn yng ngherdd Williams Parry: y mae'r bardd yn rhoi inni'r profiad didostur, diobaith o ddod wyneb yn wyneb ag angau.

Y mae'r pumed pennill yn dechrau â griddfaniad o wae—*O*! Sonnir wedyn am y galon, sef yr aelod o'r corff sy'n dynodi bywyd a theimlad ac sy'n gysylltiedig â chariad, yn y stad lle nad oes *na chynnes nac oer*. Dyma'r 'canol' nad yw na'r naill beth na'r llall. Mae'n bur debyg fod yr ymadrodd Beiblaidd 'nac oer na brwd' (Datguddiad 3: 15-16) yng nghefn meddwl Williams Parry. Defnyddir y geiriau hynny am eglwys Laodicea. Dyfarniad Duw ar yr eglwys honno oedd:

Felly, am dy fod yn glaear, ac nid yn oer nac yn frwd, mi a'th chwydaf di allan o'm genau . . .

Ceir y gair *claear* yn y dyfyniad uchod, ac nid yw'n syndod fod y gair *claeara* yn dilyn y *na chynnes nac oer* gan Williams Parry yn ei gerdd. Y mae'r bardd am inni deimlo diflastod, y math o ddiffyg blas—yn llythrennol felly—sydd ar ddŵr claear.

Yn y canol oed hwn sylwer nad y person yn unig sy'n newid. Yn wir, cyflwyna'r bardd y newid fel petai'n digwydd yn y bydysawd—*claeara'r haul* meddai, *clafycha'r lloer*. Awgrymir bod salwch yn dod ar ffynonellau goleuni'r byd. Amrywir y ddelwedd o 'ddechrau darfod' yn y llinellau nesaf:

A phan rydd yr hydref ei ias i'r mêr
Y disgyn y dail yng nghoedwigoedd y sêr.

Mae hydref einioes ar gerdded, y mae oerni marwolaeth o gwmpas. Ac, fel sy'n gymwys yn yr hydref, fe gwympa'r dail. Ond nid dail go-iawn mo'r rhain. Y mae yma synio am y sêr fel coedwigoedd yn colli eu dail: hynny yw, y mae goleuni'r nos yn graddol golli ei allu ac y mae'r tywyllwch yn gorchfygu fesul tipyn.

Y mae *disgyn y dail yng nghoedwigoedd y sêr*, y ddelwedd y ceisiwyd ei hesbonio uchod, yn un eithaf anodd cael gafael ynddi yn ei manylion, er bod ei sŵn a'i grym teimladol yn aruthrol. Yr wyf eisoes wedi cyfeirio at lyfr y Datguddiad wrth drafod y pumed pennill hwn: y mae rhyw briodoldeb dwfn yn hynny canys llyfr yn trafod diwedd pethau bydol yw hwnnw. Sôn am ddiwedd *pob peth* y mae Williams Parry yn y gerdd hon. Y tu ôl i ddelwedd *coedwigoedd y sêr* (ac, yn wir, y tu ôl i holl ddelweddaeth y pennill sy dan sylw, os nad y gerdd gyfan) y mae, fe ellir tybio, adnodau eraill o lyfr y Datguddiad, sef y rhain:

> Ac mi a edrychais pan agorodd efe [sef, yr Oen] y chweched sêl; ac wele, bu daeargryn mawr; a'r haul a aeth yn ddu fel sachlen flew, a'r lleuad a aeth fel gwaed;
> A sêr y nef a syrthiasant ar y ddaear, fel y mae'r ffigysbren yn bwrw ei ffigys gleision, pan ei hysgydwer gan wynt mawr.
>
> (Datguddiad 6: 12-13)

Y mae'r ddiwethafiaeth sydd yn y Datguddiad yn y gerdd hon hithau. Yn wir, y mae diwethafiaeth y gerdd yn mynd y tu hwnt i un y Datguddiad—fel y gwelir isod.

O ran chwilio cefndir y ddelwedd *coedwigoedd y sêr* efallai fod y geiriau hyn o Ganiad Cyntaf 'The Fall of Hyperion', John Keats, rywle yn ymwybyddiaeth neu isymwybod Williams Parry pan greodd hi:

> As when upon a tranced summer-night
> Forests, branch-dreamed by the earnest stars,
> Dream . . .

Mr Derwyn Jones a dynnodd fy sylw at eiriau Keats. Y mae ef, a'r Dr Emrys Parry ac Alan Llwyd, wedi tynnu sylw at yr adleisiau niferus o ymadroddion o gerddi Saesneg sydd wedi eu 'gwreiddioli' o'r newydd yng ngwaith Williams Parry. Fe ddichon fod yma enghraifft o hynny.

Yn y pennill nesaf, y mae yna ailadrodd sy'n cynyddu effaith y gair *diwedd*. Ond y mae yna hefyd ddefnyddio'r gair *dechrau*. Y mae'r gwrthgyferbyniad rhwng *diwedd, diwedd: dechrau* yn crynhoi ein sylw ar y gair *dechrau*. Dechrau beth? Y mae grym ergyd i'r gair sy'n dilyn, sef *marwolaeth*. A marwolaeth ydyw *a bery gyhyd*: y mae heb ddiwedd iddi. Ailgydir yn y gair *diwedd* eto a rhoir inni fraw terfyn oes lle nad oes mo'r diddanwch achlysurol fel ysbeidiau o haul, a geir yn hwyr neu henaint bywyd. Daw diwedd y diddanwch hwnnw: *paid yn llwyr*.

Y mae adlais o'r un gair wedi ei ddefnyddio ynghynt yn y *llwyr* hwn. Yn y pedwerydd pennill sonnir na ddaw diwedd y byd yn sydyn:

> Cans araf yw'r bysedd gynt a fu'n gweu
> Miraglau'r synhwyrau, i lwyr ddileu.

Ond dyma'r bardd yn awr yn sôn am ddiwedd *llwyr* ar ddiddanwch bywyd. Dweud y mae fod diwedd yr unigolyn fel diwedd y byd.

A diwedd anochel-ddychrynllyd y byd a gawn ni yn y pennill olaf; hynny a diwedd y dyn, yr unigolyn.

> Cyn dyfod diddymdra'r ddaear a'i stôr
> \- - - -

—dyma ddyrnu diwedd y byd ar ein clyw ac ar ein teimlad. Yna dyma'r bardd yn sôn yn ddidostur am ei ddiwedd ei hun.

> Fy synnwyr a'm meddwl.

Ac y mae popeth yn dod i ben—*ei sychdir a'i môr*. (Yma y mae ystyr sydd o'r tu allan i destun y gerdd yn ymwthio iddi, os yw'r darllenydd yn ddigon hen i gofio. Fe ddywedodd Williams Parry un tro fod henaint yn 'siabi'. Yn ei henaint ei hun, tua 1950, fe gymerodd ran mewn rhaglen radio. Yr oedd fymryn yn anghofus. Y mae cofio'r rhaglen honno'n dod â rhyw ddychryn ychwanegol i'r gerdd hon.)

Dinistr, dadfeiliad llwyr ydyw'r diwedd:

> Pan chwâl fel uchenaid dros ludw'r dydd
> "Bydded tywyllwch." A nos a fydd.

Y mae yma *chwalu*; y mae yma *uchenaid* marwolaeth; y mae yma *ludw*, lludw'r *dydd* sylwer—y mae'r dydd, y goleuni wedi llosgi allan, yn beth a fu. Y mae yma brofiad cynyddol, brawychus o ddiwedd a marwolaeth. Yna ceir y datganiad, *"Bydded tywyllwch"*, sy'n adleisio ac yn croes-ddweud mewn modd enbyd y "Bydded goleuni" a lefarodd Duw yn Genesis. Ar ôl y dywedyd hwnnw yn y dechreuad, 'a goleuni a fu', meddai'r Beibl. Y mae llawn effaith diwedd y gerdd hon, felly, yn dibynnu ar ein bod yn gwybod geiriau o'r Ysgrythur oherwydd fel gwrthdrawiad i'r geiriau hynny y rhyddheir llawn egni ac ystyr a phrofiad y geiriau *A nos a fydd*. Mae *nos* yn cymryd lle *goleuni* ac y mae'r amser dyfodol *bydd* di-ben-draw yn cymryd lle *bu* gorffennol y Beibl. Mae diwedd y gerdd hon yn creu profiad ysgytwol anobeithiol, anosgoadwy o ddiwedd diderfyn.

Ac eto y mae hyn'na'n rhoi i ddarllenwr llengar foddhad. Pam? Y mae'n debyg am fod y bardd, trwy'i gelfyddyd, yn *creu* profiad, a bod yna yn hynny ryw harddwch—na ddylai fod yno ym mhresenoldeb y profiad tywyll a grëir. Ond 'dylai' neu beidio, y mae'r harddwch yno.

THOMAS HERBERT PARRY-WILLIAMS

Ganwyd ar 21 Mai, 1887, yn Nhŷ'r Ysgol, Rhyd-ddu, Gwynedd.

Bu yn Ysgol Ganolradd Porthmadog, gan letya ym Mhorthmadog yn ystod dyddiau ysgol. O 1905 hyd 1909 bu'n fyfyriwr yng Ngholeg Prifysgol Cymru, Aberystwyth; yna bu yng Ngholeg Iesu, Rhydychen, o 1909 hyd 1911; o 1911 hyd 1914 bu'n astudio ar y Cyfandir, ym Mhrifysgol Freiburg yn yr Almaen, ac ym Mhrifysgol Sorbonne, ym Mharis.

Yn 1914 penodwyd ef yn ddarlithydd yn Adran Gymraeg Coleg Prifysgol Cymru, Aberystwyth. Yn 1919 bu'n fyfyriwr disglair yng Nghyfadran Wyddoniaeth y coleg: yr oedd â'i fryd ar feddygaeth. Yn 1920 penodwyd ef yn Athro Cymraeg yn y coleg. Bu yn y swydd honno nes iddo ymddeol yn 1952.

Yn 1925 aeth ar fordaith i Dde America, ac yn 1935 bu ar daith yn Unol Daleithiau America.

Daeth i'w ran lu o raddau—MA (Cymru); D.Lit. (Cymru); D.Lit. (Rhydychen); Ll.D. (Cymru); Ph.D. (Freiburg). Fe ysgwyddodd faich o gyfrifoldebau a daeth iddo lawer o anrhydeddau am ei wasanaeth.

Ymysg ei orchestion yr oedd ennill coron a chadair yr Eisteddfod Genedlaethol yn yr un eisteddfod. Cyflawnodd y gamp hon ddwy waith; yn Wrecsam (1912) ac ym Mangor (1915).

Yn 1942 priododd Amy Thomas. Bu farw yn 1975 a chladdwyd ei weddillion ym mynwent Beddgelert.

Y mae T. H. Parry-Williams yn fardd a ystwythodd gymalau Cymraeg llenyddol gan ddwyn iddo beth o eirfa'r iaith lafar. Y mae'n fardd myfyrdod mawr, treiddgar, a hynny, weithiau, trwy gyfrwng rhigymau.

Cerddi (1931)
Olion (1935)
Synfyfyrion (1937)
Lloffion (1942)
Ugain o Gerddi (1949)
Myfyrdodau (1957)
Detholiad o Gerddi (1972)

DYCHWELYD

Ni all terfysgoedd daear byth gyffroi
  Distawrwydd nef; ni sigla lleisiau'r llawr
Rymuster y tangnefedd sydd yn toi
  Diddim diarcholl yr ehangder mawr;
Ac ni all holl drybestod dyn a byd
  Darfu'r tawelwch nac amharu dim
Ar dreigl a thro'r pellterau sydd o hyd
  Yn gwneuthur gosteg â'u chwyrnellu chwim.
Ac am nad ydyw'n byw ar hyd y daith,
  O gri ein geni hyd ein holaf gŵyn,
Yn ddim ond crych dros dro neu gysgod craith
  Ar lyfnder esmwyth y mudandod mwyn,
Ni wnawn, wrth ffoi am byth o'n ffwdan ffôl,
Ond llithro i'r llonyddwch mawr yn ôl.

DYCHWELYD

Thomas Herbert Parry-Williams

CERDDI (Gwasg Aberystwyth, 1931)

'Un ias fer rhwng dwy nos faith': dyna fel y disgrifiodd T. Gwynn Jones fywyd dyn ar y ddaear. 'Breuddwyd yw: ebrwydded oes!' meddai Dafydd ap Gwilym yntau am fywyd dyn. Y mae yn y soned hon hithau sôn am fyrder bywyd, peth nad yw *ond crych dros dro neu gysgod craith* ar lyfnder tragwyddoldeb. Byrder bywyd dyn ynghanol tragwyddoldeb—dyna sy'n ysgogi'r myfyrdod ysgytwol a geir yn y soned enwog hon.

Y mae yng ngherdd Waldo Williams 'Mewn Dau Gae' ryw dawelwch a llonyddwch sy'n dod trwy bresenoldeb Duw. Y mae yn y gerdd hon hefyd sôn am dawelwch a llonyddwch, ond o agwedd wahanol. Y mae'r gerdd hon yn fwy ymenyddiol na cherdd Waldo Williams, yn fwy gwyddonol ei dull ac, eto, trwy'r ymenyddwaith sydd ynddi fe grëir ymdeimlad o lonyddwch nad yw'n annhebyg i'r llonyddwch y sonia'r cyfrinwyr amdano. Heb gychwyn â'r syniad o Dduw na heb ei dderbyn ychwaith y mae'r gwyddonydd o fardd hwn yn ymateb â theimlad sy'n agos at brofiad y cyfrinwyr o Dduw.

Y mae yna wrthgyferbyniad yn rhedeg trwy'r gerdd, sef gwrthgyferbyniad rhwng cyffro bywyd ar y ddaear a rhyw dawelwch cosmig:

terfysgoedd daear	distawrwydd nef
lleisiau	tangnefedd
trybestod	tawelwch
crych	llyfnder
ffwdan	llonyddwch

Y mae yma drefn sydd fel trefn y bydysawd yn arddangos inni agwedd ar ôl agwedd ar y thema fawr o fudandod tragwyddoldeb. Ond sylwer nad oes yma ddim ailadrodd geiriau. Fe ddyfnheir ein profiad o'r mudandod a gyfleir inni trwy wahanol eiriau trwy'r gerdd.

Mae osgo'r gerdd yn negyddol:

Ni all terfysgoedd daear . . .
ni sigla lleisiau'r llawr . . .
ni all holl drybestod dyn . . . darfu . . . nac amharu . . .
Ac am nad . . .
Ni wnawn . . . ond

Y mae'r holl negyddau'n cael yr effaith o ddileu cyffro bywyd, o dynnu sylw oddi wrth gythrwfl ymddangosiadol bwysig ein byw at y llonyddwch mawr.

Fe sylwir, hefyd, fod y bardd yn treulio mwy o amser yn creu argraff o'r llonyddwch nag o gyffroadau'r byd. Meddai:

> . . . ni sigla lleisiau'r llawr
> Rymuster y tangnefedd sydd yn toi
> Diddim diarcholl yr ehangder mawr.

Y mae yma, yn amlwg, greu teimlad trwy ystyr a sain a chyflythreniad. Mae *lleisiau'r llawr* yn cyfleu twrw, ond nid twrw mawr. Mae'r bardd wedi dewis y gair *lleisiau* i gyfleu'r twrw; organau'r corff sy'n creu'r sŵn a beth yw'r sŵn y gall y cyrff yma ei gynhyrchu yn ehangder y cread! Mae *llawr* hefyd yn cyfleu lle cyfyngedig. Cyferbynnir y twrw daearol â *grymuster*—a dyna inni air cryf iawn—tangnefedd y bydysawd. Y mae cryfder y gair yn cael ei gadarnhau gan ei gyd-destun:

> Rymuster y tangnefedd sydd yn toi
>
> Diddim diarcholl yr ehangder mawr

Mae'r bardd am inni amgyffred gwacter enbyd y cosmos, felly y mae'n negyddu, fel hyn:

> Diddim diarcholl

Wedi'r negyddu yma i wneud inni amgyffred gwacter y mae'n agor allan i roi inni ymdeimlad o aruthredd y gwacter hwnnw:

> yr ehangder mawr

Effaith hyn oll yw fod mân sŵn y byd yn cael ei lyncu gan y gwacter enfawr distaw.

Mae'r ymadrodd *trybestod dyn a byd* yn creu cryfach effaith o gyffro na *lleisiau'r llawr*, ond nid yw'r cyffro cryfach hwn yn gallu gwneud dim i:

> Darfu'r tawelwch nac amharu dim
>
> Ar dreigl a thro'r pellterau . . .

(Mae'r *t* yn *pellterau* yn swnio'n debyg iawn i *d*.) *Treigl a thro'r pellterau*: yma eto crëir argraff o ehangder. Yma fe ddilyna un o ymadroddion anhawsaf y gerdd:

> . . . Treigl a thro'r pellterau sydd o hyd
> Yn gwneuthur gosteg â'u chwyrnellu chwim.

Yr hyn a ddywedir yw fod pellterau'r bydysawd yn troi'n eithriadol gyflym. Yn groes i'r disgwyl, nid yw'r troi hwn—y chwyrnellu hwn—

yn creu twrw; yn hytrach y mae'n *gwneuthur gosteg*, yn creu distawrwydd. Fe fûm i'n ystyried a oedd yna ddamcaniaeth ym myd Ffyseg ein canrif ni—megis syniad eithriadol gymhleth Einstein fod tro ar y gofod—a fyddai'n cyfateb i'r syniad hwn; ond nid ymddengys fod un.

Yn wyth llinell gyntaf y soned—yr wythawd—bu'r bardd yn sôn yn amhersonol am gyffroadau'r byd. Soniodd am *derfysgoedd daear*, am *leisiau'r llawr*, am *drybestod dyn a byd*. Yn awr, yn y chwechawd, y mae'n llefaru'n fwy personol: mae'n sôn amdanom *ni*. Mae'n creu argraff fod bywyd dyn yn beth bach, byr, nid

> Ydyw'n byw ar hyd y daith
> O gri ein geni hyd ein holaf gŵyn
> Yn ddim ond . . .

Nid yw'r hyd, o'r dechrau i'r diwedd, yn *ddim ond*. Mae ein bywyd ni'n mynd yn *ddim ond*. Dim ond beth?

> crych dros dro neu gysgod craith

Mae yma ddewis geiriau i leihau argraff. Nid ton a geir, hyd yn oed, ond *crych*—a hynny dros dro. Nid *craith* a geir, ond *cysgod craith*. Yna down yn ôl at yr argraff gref a roir o'r mudandod; cryfhau'r argraff a wneir yma:

> Ar lyfnder esmwyth y mudandod mwyn

Y mae'r cyflythrennu'n cryfhau argraff y geiriau ac yn rhoi inni deimlad o addfwynder y mudandod.

Yna daw'r diwedd:

> Ni wnawn, wrth ffoi am byth o'n ffwdan ffôl,
> Ond llithro i'r llonyddwch mawr yn ôl.

Sylwer, i ddechrau, ar y cyflythrennu i gryfhau ystyr a chryfhau argraff yma eto—*ffoi . . . o'n ffwdan ffôl. Am byth*: dyna inni eiriau cyffredin iawn, ond y maent yn eiriau terfynol iawn yma. Sylwer, hefyd, ar ansawdd yr exit—llithro ydyw, mynd yn ddidramgwydd yn rhan o'r llonyddwch. *Mawr*, meddai'r bardd: a fu ansoddair mwy cyffredin na hwn? Eto, yma, y mae celfyddyd y gerdd—y teimlad a'r ystyr a roes y bardd yn ei gyfansoddiad—yn creu ystyr o'r newydd yn y gair blinedig hwn. *Ffôl: ôl:* mae'r odl yn help i roi grym yn y gair *ôl*, yn y 'dychwelyd', i'r dim.

Wrth ddefnyddio'r gair *ymenyddiol* uchod fe olygir, ymysg pethau eraill, fod T. H. Parry-Williams yn gwrthod edrych ar fywyd dyn yn y bydysawd â theimladau neu syniadau parod, ymlaen-llaw ynghylch yr hyn y mae'n mynd i'w ddarganfod. Nid yw, er enghraifft, yn cychwyn â'r syniad o Dduw. Y mae'n edrych ar bethau, heb ragdybiaethau, fel gwyddonydd, ac yn dod i gasgliadau: dim ond gwacter a distawrwydd y mae'n eu canfod. Wrth iddo fyfyrio ar fywyd ar sail ei resymeg yn unig y mae T. H. Parry-Williams yn debyg i rai llenorion diweddar. Yn debyg yn hyn o beth: y mae'r hyn a welir heb gymorth unrhyw ffydd yn rhoi bod i deimladau ynghylch bywyd. Er enghraifft, wrth edrych ar fywyd dynion y mae rhai llenorion yn gwrthod derbyn bod yna unrhyw ystyr i'r bywyd hwnnw: y mae hyn yn tueddu i greu anobaith. Efallai mai'r un sydd wedi ei enwogi ei hun fwyaf am y math hwn o agwedd yw Samuel Beckett. (Gyda llaw, y mae ganddo ef ddrama sy'n para am tua munud, *Breath*. Mae hi'r peth tebycaf a welsoch chwi i'r llinell:

> O gri ein geni hyd ein holaf gŵyn.)

Y mae eraill—er yn methu credu bod ystyr i fywyd—yn llwyddo i fod yn eithaf joli trwy'r cwbl, gan ganolbwyntio ar y pethau mewn bywyd yn y byd hwn sy'n ei wneud yn hardd neu'n ddifyr.

Beth am T. H. Parry-Williams? *Ymenyddiol* oedd y gair a ddefnyddiwyd amdano. Mae hynny'n wir, yn ôl y diffiniad a roddwyd. Ond sylwer nad yw'r gerdd hon yn oeraidd, wrthrychol. Pam, er enghraifft, y dywedir bod y mudandod cosmig yn *fwyn*? Pam y dywedir bod bywyd yn *ffwdan ffôl*? Y mae'r rhesymeg yn creu agwedd, agwedd sy'n ffafriol i'r llonyddwch cosmig ac yn anffafriol at ffwdan bywyd. Yn wir, y mae'r teimlad a grëir tuag at y *distawrwydd*; y *tawelwch*; y *mudandod*; y *llonyddwch* yn datblygu'n rhyw fath rhyfedd o brofiad cyfriniol digrefydd. A dyna inni ran o bersonoliaeth gymhleth y bardd T. H. Parry-Williams.

DAVID JAMES JONES (GWENALLT)

Ganwyd ar 18 Mai, 1899. Magwyd ef ym Mhontardawe, Morgannwg. Hanai ei rieni o'r hen sir Gaerfyrddin a chadwodd yntau gysylltiad â'r sir honno. Yr oedd tad Gwenallt yn fardd.

Addysgwyd Gwenallt yn Ysgol Sir Ystalyfera. Yna bu'n ddisgybl-athro am ysbaid. Pan dorrodd rhyfel 1914-18 gwrthododd ymuno â'r lluoedd arfog. Bu yn Wormwood Scrubs o Fai 1917 hyd Fai 1919—mae ei nofel, *Plasau'r Brenin*, wedi ei seilio ar ei brofiad yn y carchar hwnnw.

Yn 1919 aeth yn fyfyriwr i Goleg Prifysgol Cymru, Aberystwyth. Ar ôl cyfnod yno bu'n athro yn Ysgol Sir y Barri. Yn 1927 dychwelodd i goleg Aberystwyth fel darlithydd yn yr Adran Gymraeg. Bu ar staff yr adran honno nes iddo ymddeol yn 1966.

Yr oedd Gwenallt yn feirniad ac ysgolhaig yn ogystal â llenor a bardd. Ef oedd golygydd cyntaf cylchgrawn Yr Academi Gymreig, *Taliesin*.

Ar ddydd Sadwrn y Pasg, ym mis Mawrth 1937, priododd Nel Evans. Ganwyd iddynt un ferch. Bu Gwenallt farw ar 24 Rhagfyr, 1968, yn Ysbyty Bron-glais, Aberystwyth.

Y mae i ddiwydiant, gwleidyddiaeth, cenedlaetholdeb a chrefydd le amlwg ym marddoniaeth Gwenallt. Y mae grym teimlad yn nodweddu llawer o'i gerddi.

Y Mynach a'r Sant (1928)
Ysgubau'r Awen (1939)
Cnoi Cil (1942)
Eples (1951)
Gwreiddiau (1959)
Y Coed (1969)

A SHORT HISTORY OF WOMEN

Y MEIRWON

Bydd dyn wedi troi'r hanner-cant yn gweld yn lled glir
  Y bobl a'r cynefin a foldiodd ei fywyd e',
A'r rhaffau dur a'm deil dynnaf wrthynt hwy
  Yw'r beddau mewn dwy fynwent yn un o bentrefi'r De.

Wrth yrru ar feisiglau wedi eu lladrata o'r sgrap
  A chwarae Rygbi dros Gymru â phledrenni moch,
Ni freuddwydais y cawn glywed am ddau o'r cyfoedion hyn
  Yn chwydu eu hysgyfaint i fwced yn fudr goch.

Ein cymdogion, teulu o Ferthyr Tydfil oeddent hwy,
  'Y Merthyron' oedd yr enw arnynt gennym ni,
Saethai peswch pump ohonynt, yn eu tro, dros berth yr ardd
  I dorri ar ein hysgwrs ac i dywyllu ein sbri.

Sleifiem i'r parlyrau Beiblaidd i sbïo yn syn
  Ar olosg o gnawd yn yr arch, ac ar ludw o lais;
Yno y dysgasom uwch cloriau wedi eu sgriwio cyn eu pryd
  Golectau gwrthryfel coch a litanïau trais.

Nid yr angau a gerdd yn naturiol fel ceidwad cell
  Â rhybudd yn sŵn cloncian ei allweddi llaith,
Ond y llewpart diwydiannol a naid yn sydyn slei,
  O ganol dŵr a thân, ar wŷr wrth eu gwaith.

Yr angau hwteraidd: yr angau llychlyd, myglyd, meddw,
  Yr angau â chanddo arswyd tynghedfen las;
Trôi tanchwa a llif-pwll ni yn anwariaid, dro,
  Yn ymladd â phwerau catastroffig, cyntefig, cas.

Gwragedd dewrfud â llond dwrn o arian y gwaed,
  A bwcedaid o angau yn atgo tan ddiwedd oes,
Yn cario glo, torri coed-tân a dodi'r ardd
  Ac yn darllen yn amlach hanes dioddefaint Y Groes.

Gosodwn Ddydd Sul y Blodau ar eu beddau bwys
  O rosynnau silicotig a lili mor welw â'r nwy,
A chasglu rhwng y cerrig annhymig a rhwng yr anaeddfed
    gwrb
  Yr hen regfeydd a'r cableddau yn eu hangladdau hwy.

Diflannodd yr Wtopia oddi ar gopa Gellionnen,
  Y ddynoliaeth haniaethol, y byd diddosbarth a di-ffin;
Ac nid oes a erys heddiw ar waelod y cof
  Ond teulu a chymdogaeth, aberth a dioddefaint dyn.

Y MEIRWON

D. Gwenallt Jones

EPLES (Gwasg Aberystwyth, 1951)

Y mae 'Y Meirwon' yn un o gerddi mawr y bardd nodedig Gwenallt. Fel llawer o'i gerddi ef y mae hon yn gerdd gymdeithasol. Yn wir, math o ddadansoddiad o'r gymdeithas a wnaeth y bardd yr hyn ydoedd yw'r gerdd hon. Y mae ynddi fyfyrdod aeddfed ar yr hyn yr ystyriai'r bardd yn brif bethau bywyd ac fe esbonnir inni, â theimlad cryf, pam y gwelai ef bethau fel ag y gwnâi.

Tôn sgwrs sydd i'r dechrau:

> Bydd dyn wedi troi'r hanner-cant yn gweld yn lled glir . . .

ond y mae tyndra teimlad yn y gerdd erbyn y drydedd linell:

> A'r rhaffau dur a'm deil dynnaf wrthynt hwy . . .

Mae'r ffigur o *raffau dur* yn ffitio'n gymwys i blentyndod mewn ardal o weithiau dur a glo. Ond fe gryfheir yr argraff o'u gafael ar y bardd gan y modd yr ailadroddir *d* yn y llinell: *dur a'm deil dynnaf*. Yn y bedwaredd linell down at y *beddau* mewn *mynwent*: dyma'r rhaffau sy'n dal y bardd.

Erbyn dechrau'r ail bennill yr ydym yn ôl â thôn sgwrs, gydag atgofion am blentyndod—chwarae beiciau-sgrap, chwarae Rygbi (sylwer ar y brif lythyren sy'n dangos pwysigrwydd y chwarae hwn i blentyn yn y gymdeithas yn y De) efo swigen mochyn. Erbyn hyn y mae'r bardd wedi ein cael i ymlacio i gael mwy o ddifyrrwch plentyndod, ond nid hynny a geir. Yn lle hynny fe gawn eiriau sydd yn sicr o greu argraff greulon ac anghynnes o'r hyn a ddigwyddodd i ddau o'r rhai a oedd yn blant gyda'r bardd:

> Yn chwydu eu hysgyfaint i fwced yn fudr goch.

Y mae yma sioc lachar i'r synhwyrau sy'n ein gorfodi i gymryd sylw o afiechyd cyfeillion y bardd.

Ond ar ôl rhoi'r ysgytwad yna inni y mae'r bardd yn mynd i ailgydio yn ei ddull ymgomiol eto:

> Ein cymdogion, teulu o Ferthyr Tydfil oeddent hwy . . .

Cawn air mwys *Y Merthyron* sy'n ymddangos yn ddigon diniwed—pobl o Ferthyr—nes inni weld eu bod yn 'ferthyron' mewn gwirionedd. Deuai sŵn eu pesychu dros y berth i dorri ar ddiddanwch —fe gawn ni yma ddau ferfenw negyddol yn eu cyd-destun, *torri*, *tywyllu*: y mae'r diffeithdra ar waith.

Cawn gip sydyn, ond cryf a nodweddiadol, o barlyrau'r cyfnod yn yr ansoddair *Beiblaidd*. Mae'n cyfeirio at bresenoldeb Beibl go nobl yn y parlyrau ac yn cyfleu agwedd ar y gymdeithas Gristnogol y magwyd Gwenallt ynddi. Yna daw sioc arall:

> . . . golosg o gnawd yn yr arch, lludw o lais . . .

Nid dynion, nid pobl yw'r meirwon ond ysbwriel diwydiannol. Cyfleir hyn ag angerdd casineb, teimlad y gallai Gwenallt ei gyfleu'n nerthol, trwy wneud inni deimlo'r gwahaniaeth enbyd rhwng *golosg* a *chnawd, lludw* a *llais*. Cryfha angerdd y dicter gyda chloriau'r eirch—caeadau'r eirch—sydd wedi eu *sgriwio* cyn eu pryd. Y mae sŵn egr y berfenw yn rhoi argraff o orfodaeth ar y marw. Y mae'r casineb yn cryfhau nes ei fod yn cael ei ddynodi â geiriau crefyddol *colectau, litanïau*. Nid gwerthoedd y *parlyrau Beiblaidd* piau hi bellach ond gwerthoedd y gwrthyfel *coch*. Y mae *coch* yma nid yn unig yn cyfleu argraff lachar a chysylltiad ynddi â gwaed, ond hefyd yn dynodi arlliw comiwnyddol y dicter.

Â'r bardd ymlaen, yn ei ddicter, i sôn am yr angau diwydiannol. Nid yw'n angau sy'n rhoi rhubudd ei fod ar ddod. Fe gyfleodd y bardd yr angau 'naturiol' hwn trwy dynnu ar ei brofiad o'i gyfnod yn y carchar; creodd ddelwedd o geidwad cell. 'Dyw'r angau naturiol, hyd yn oed, ddim yn ddymunol—mae fel sŵn ceidwad carchar. Ond y mae pŵer y disgrifio wedi ei gadw ar gyfer yr angau sydyn, yr un a gyfleir trwy ddelwedd *y llewpart diwydiannol*. Y mae marwolaeth ddisymwth wedi bod, mewn llawer llenyddiaeth, yn destun syndod, o Homer ymlaen. Y mae gweld gŵr yn llawn bywyd, yn berson byw un funud ac yn gorff oer, yn *beth* oer, y munud nesaf yn rhoi ysgytwad i bwy bynnag a welodd beth felly. Mynd yn ôl i'r fforest gyntefig, y jyngl foesol, a wnaeth Gwenallt am ei ddelwedd o'r farwolaeth ddisyfyd.

Yna cawn rethreg casineb:

> Yr angau hwteraidd: yr angau llychlyd, myglyd, meddw . . .

'Wn i ddim a all unrhyw un nad yw wedi ei fagu mewn ardal ddiwydiannol lawn werthfawrogi ystyr yr *hwteraidd* yma. Y mae caniad annhymig yr hwter yn frawychus mewn ardal felly: mae'n dynodi damwain. Fe drôi damweiniau'r gweithfeydd y bardd ac eraill yn gynddeiriog gan lid gan ddod â hwy wyneb yn wyneb ag un o elfennau noeth bodolaeth, sef y casineb at farwolaeth, yn enwedig y math o farwolaethau y sonnir amdanynt yma.

Wedyn cawn argraff ddofn o'r gwragedd, argraff fel yr un a geir yn hanes yr efengylau am yr Atgyfodiad—*gwragedd dewrfud*. Troir iawndal, y *compensation* (neu'r compo) haniaethol yn *llond dwrn o arian y gwaed* hollol ddiriaethol. A'r eiliad y clyw rhywun lled gyfarwydd â'i Feibl am *arian y gwaed* y mae'n cael ei atgoffa am dâl Jiwdas am fradychu Crist. Tâl gan fradwyr yw'r iawndal diwydiannol. Ond, os rhywbeth, y mae *bwcedaid o angau* yn fwy ysgytwol ddiriaethol nag *arian y gwaed*. Y tebyg yw mai at rodd o lo fel rhan o iawndal y cyfeiria'r bwcedaid; un ai hynny neu'r fwced a gedwid yn y tŷ i'r un claf o glefyd diwydiannol boeri iddi. Yma y mae'n fwced frawychus. Ac y mae'r bardd am ein brawychu a'n sgytian ni yma. Dioddefodd y dynion enbydrwydd afiechyd a marwolaeth, a dyma enbydrwydd eu gwragedd. Yna daw'r un manylyn sy'n creu darlun o fyd—fel yr un manylyn enwog hwnnw yn stori Kate Roberts 'Henaint' am chwarelwr wedi bod yn sâl mor hir nes bod ei 'ddwylo'n lân'. Y manylyn arwyddocaol yw'r llun o'r gweddwon yn cario glo a thorri coed-tân, yn cyflawni—o raid—swyddogaethau'r gwŷr o gwmpas y tŷ. *Ac yn darllen yn amlach hanes dioddefaint y Groes*, yn darllen am eu bod bellach yn deall â'u teimladau arwyddocâd dioddefaint y groes.

Mae'r ddefod o gofio 'Y Meirwon' yn dal i fynd yn ei blaen. Ond sylwer ar y disgrifiad a geir o'r blodau:

> . . . rhosynnau silicotig a lili mor welw â'r nwy . . .

Y mae'r marwolaethau'n gadael eu hôl hyd yn oed ar harddwch y blodau. Blodau claf yw'r rhain wedi eu cyfleu'n drawiadol trwy ddod â geiriau cwbl annisgwyl at ei gilydd—*rhosynnau silicotig, lili . . . nwy.*

Yn y diwedd mae'r delfrydau haniaethol, gobeithion ffyrnig ieuenctid, wedi mynd—Wtopia, byd diddosbarth a di-ffin. Yr hyn sy'n aros yw'r pethau pwysicaf un:

> . . . teulu a chymdogaeth, aberth a dioddefaint dyn.

Pethau personol ydynt, teimladau sy'n gysylltiedig â phobl arbennig mewn lle arbennig, nid syniadau nac ideolegau. Y Meirwon a ddangosodd werth y pethau hyn i'r bardd; ei brofiad gyda hwy a ddangosodd iddo werthoedd cynhaliol bywyd. Felly, y mae'r gerdd yn gorffen ag eironi dyrchafol—y mae'r meirwon wedi dangos gwir gynhaliaeth bywyd i'r bardd.

EUROS BOWEN

Ganwyd ar 12 Medi, 1904, yn Nhreorci. 'Roedd ei dad, T. Orchwy Bowen, yn frawd i'r beirdd Myfyr Hefin a Ben Bowen. Y mae'r prifardd Geraint Bowen yn frawd iddo.

Yn ystod cyfnod ei addysg uwchradd yn Llanelli enillodd Euros Bowen ysgoloriaeth i Ysgol Gelfyddyd Llanelli. Bu'n dysgu am beintio yno. Mae peintio a chelfyddyd ymhlith ei ddiddordebau mawr hyd heddiw.

Ar ôl cyfnod byr o weithio mewn swyddfa cafodd yrfa golegol a'i dug i Goleg Presbyteraidd Caerfyrddin; Coleg Prifysgol Cymru, Aberystwyth; Coleg Prifysgol Cymru, Abertawe; colegau Mansfield a'r Santes Catherine, Rhydychen; a Choleg Dewi Sant, Llanbedr Pont Steffan. Y pynciau y bu'n eu hastudio oedd Athroniaeth, y Clasuron, Cymraeg, a Diwinyddiaeth.

Yn 1934 gwnaethpwyd ef yn gurad Wrecsam. Bu yno am bum mlynedd cyn symud, ym Mehefin, 1939, i fod yn rheithor Llangywair, ger Y Bala. Bu yno nes iddo ymddeol yn 1973 a symud i fyw i Wrecsam.

Yn 1936 priododd Neli Tilston-Jones o Wrecsam. Y mae ganddynt ddau o feibion.

Er mai'n gymharol hwyr ar ei yrfa y dechreuodd Euros Bowen farddoni y mae'n fardd tra chynhyrchiol. Y mae'n fardd sydd wedi ei enwogi ei hun am ei ddelweddau. Y mae apêl gref at y llygaid a'r dychymyg mewn llawer o'i gerddi ac y mae ynddynt amrywiaeth o symudiadau rhythmig, priodol i'w pwrpas. Y mae llawer o'i gerddi ar gynghanedd rydd. Ef yw un o'r prif ddamcaniaethwyr am swyddogaeth y gynghanedd.

Cerddi (1957)
Cerddi Rhydd (1961)
Myfyrion (1963)
Cylch o Gerddi (1970)
Achlysuron (1970)
Elfennau (1972)
Cynullion (1976)
O'r Corn Aur (1977)
Amrywion (1980)
Dan Groes Y Deau (1980)
Masg Minos (1981)
Gwynt yn y Canghennau (1982)

CWREL COCH

Nofwyr ar brynhawn wrthi
yn nŵr yr ogof,
yn nŵr gloywlas yr ogof.

Nofwyr yn dowcio
yn nŵr yr ogof,
yn plymio am y cwrel
yn nŵr gloywlas yr ogof.

Nofwyr yn rhwygo'r cwrel
o wythiennau'r graig
yn nŵr yr ogof,
yn codi'r lliw gwaed
o ddyfnder yr ogof,
lliw llachar gwaed
o guddfeydd yr ogof,
y cwrel coch
yn nirgelwch yr ogof.

Y bore wedyn
ar ôl y diwreiddio o'r ogof
roedd esgyrn y cwrel gwaed
yn y llaw,
fel lliw'r machlud a aeth yn angof
ar y traeth,
yn galch gwyn.

CWREL COCH

Euros Bowen

ELFENNAU (Gomer, 1972)

Fel rheol, pobl sy'n darllen barddoniaeth mor rheolaidd ag y byddant yn cael eu taro gan fellt sy'n galw beirdd yn dywyll. Y mae, yn wir, bethau ym marddoniaeth Euros Bowen sy'n ddyrys, ond y mae ganddo lawer o gerddi sydd mor olau â chefn dydd.

Y peth cyntaf y mae rhywun yn sylwi arno yn nechrau'r gerdd hon yw uniongyrchedd y mynegiant; eir â ni'n syth at eiriau arwyddocaol profiad y gerdd.

> Nofwyr ar brynhawn wrthi

sydd yma, nid

> Yr oedd nofwyr wrthi un prynhawn . . .

Y mae ailadrodd *yn nŵr yr ogof* gydag amrywiadau yn y pennill hwn ac yn yr ail a'r trydydd pennill yn creu rhythm cryf iawn sydd fel petai yn ein troelli i lawr trwy ddŵr yr ogof. Fe all ailadrodd fel hyn wneud un o ddau beth, sef cynyddu ein profiad neu ein syrffedu. Cynyddu profiad a wneir yma.

Yn yr ail bennill mae i *dowcio* a *plymio* le pwysig yn adeiladwaith y seiniau ac y mae'r odl rhwng y ddau air yn cryfhau eu heffaith. Nid yw'r odl hon—mwy nag yw rhai odlau a grybwyllir mewn mannau eraill yn y trafodaethau hyn—i'w cael ar ddiwedd llinellau. Weithiau fe all odl fod yn fwy effeithiol yn rhywle arall. Yn sicr, y mae'r odl hon yn effeithiol ym mhatrwm y rhythm ac y mae'n cyfrannu at y teimlad o fynd i lawr, i lawr drwy'r dŵr *gloywlas*.

Mae gan Euros Bowen lygad di-ail am liw, a medr arbennig i wneud inni sylwi ar liwiau. Tri lliw sydd yna yn y gerdd hon ac y mae'r bardd yn sicrhau ein bod yn ymwybodol iawn ohonynt. Dyna inni, i ddechrau, y dŵr *gloywlas* yma.

Yn y trydydd pennill sonnir am y cwrel yn cael ei rwygo

> o wythiennau'r graig

Mae'r bardd am inni deimlo bod y cwrel yn beth byw, yn rhan o gorff byw. Y mae'r peth byw hwn yn cael ei *rwygo* ymaith. Mae niwed i'r graig a'r cwrel wedi cael ei sefydlu yn ein dychymyg. Nid rhyfedd, wedyn, fod y nofwyr

> yn codi'r lliw gwaed.

Dyma ail liw'r gerdd. Daw i'r gerdd ddwywaith eto yn y pennill hwn:

> lliw llachar gwaed . . .
> y cwrel coch . . .

Y mae gennym bellach argraff synhwyrus gryf o'r cochni hwn sydd fel cochni gwaed.

Yn y trydydd pennill fe soniwyd am

> rwygo'r cwrel
> o wythiennau'r graig

Yn dilyn y *rhwygo* hwn fe gawn y gair *codi*. Yn y dyfnder y mae lle'r cwrel coch, byw: yn awr y mae'n cael ei dynnu oddi yno. Y mae gwrthgyferbyniad cryf rhwng y *codi* yma a lleoliad priodol y cwrel. Fe weithir yr argraff o leoliad priodol y cwrel arnom trwy dair llinell yn arbennig:

> o ddyfnder yr ogof . . .
> o guddfeydd yr ogof . . .
> yn nirgelwch yr ogof . . .

Cydir y *rhwygo* a'r *codi* a geir yn y trydydd pennill wrth y gair *diwreiddio* yn y pedwerydd. Bellach nid peth byw sydd ar ôl. Wrth sôn am yr esgyrn rhoir inni gip o'i gochni byw yn y llinell:

> roedd esgyrn y cwrel gwaed

Y mae'r bardd yn dal i gadw'r lliw hwn yn ein meddwl, a hynny i bwrpas. Y mae ganddo un lliw eto i'w grybwyll ac y mae'n arwain ato. Mae esgyrn y cwrel y bore ar ôl iddo gael ei godi

> . . . fel lliw'r machlud a aeth yn angof
> ar y traeth,
> yn galch gwyn.

Gwyn esgyrn, gwyn marwolaeth sydd yma, ac y mae ei effaith yn gryf wrthgyferbyniol i'r coch lle'r oedd bywyd.

Y mae rhwygo'r cwrel o'r dyfnder, o'r cyfangorff y mae'n perthyn iddo, yn ei ladd. Ond nid hyn yn unig sydd yma; y mae'r dychymyg yn estyn yr ystyr lythrennol: y mae rhai pethau yn ddirgelion yn nyfnder bodolaeth, ac os codwch chwi nhw oddi yno y maent yn newid eu hansawdd ac yn marw. Efallai'n wir fod yna brofiadau mor ddwfn fel na ellir eu codi i'w mynegi mewn geiriau.

WALDO WILLIAMS

Ganwyd ar 30 Medi, 1904, yn Hwlffordd. Saesneg oedd iaith ei aelwyd yn ei fachgendod. Yr oedd ei dad yn Gymro Cymraeg, a'i fam yn un o Loegr—er mai Cymry oedd ei rhieni. Bu'n byw am gyfnod ym Mynachlog-ddu ac yna yn Llandysilio.

Yn 1924 aeth i Goleg Prifysgol Cymru, Aberystwyth. Nid oedd Cymraeg yn un o'i bynciau yno, nac yn yr ysgol.

Ar ôl gadael y coleg bu'n athro mewn amryw leoedd—Y Dinas; Solfach; Cas-mael; Botwnnog; Kimbolton yn Swydd Huntingdon; Chippenham. Yn 1950 rhoes y gorau i'w swydd fel athro ysgol a bu'n athro dosbarthiadau allanol yn Sir Benfro am tua thair blynedd ar ddeg. Tua 1964 aeth yn ôl i fod yn athro ysgol yn Wdig. Bu yno nes iddo gael ei daro'n wael yn Hydref 1969.

Tua 1939, ar ddechrau'r Ail Ryfel Byd, fe gofrestrodd Waldo Williams fel gwrthwynebydd cydwybodol. Derbyniwyd ei safiad gan lys yng Nghaerfyrddin; ond bu anfodlonrwydd ynghylch safiad prif-athro Cas-mael, fel yr oedd ef ar y pryd.

Y rheswm y bu iddo ymddeol o'i swydd fel athro yn 1950 oedd ei fod yn derbyn ei gyflog a'r dreth incwm wedi ei thynnu ohono. 'Roedd rhan o'r dreth honno'n cyfrannu at gynnal arfogaeth Prydain. Yn 1956 fe wrthododd dalu ei dreth incwm yn gyfan gwbl am fod cyfran ohoni'n mynd at wneud arfau rhyfel. Atafaelwyd peth o'i eiddo a charcharwyd ef am gyfnod.

Yn 1939 fe briododd Linda Llewellyn, ond bu hi farw yn 1943.

Yn Ionawr, 1970, fe barlyswyd Waldo Williams. Bu farw yn Ysbyty Hwlffordd ar 20 Mai, 1971. Fe'i claddwyd ym mynwent eglwys Blaencomin, yn yr hen Sir Benfro.

Barddoniaeth am frawdoliaeth ac am funudau mawr, dirgel a dwys yw barddoniaeth orau Waldo Williams. Y mae yn ei farddoniaeth, hefyd, ddireidi a chanu i'w gymdeithas.

Dail Pren (1956)

MEWN DAU GAE

O ba le'r ymroliai'r môr goleuni
Oedd a'i waelod ar Weun Parc y Blawd a Parc y Blawd?
Ar ôl imi holi'n hir yn y tir tywyll,
O b'le deuai, yr un a fu erioed?
Neu pwy, pwy oedd y saethwr, yr eglurwr sydyn?
Bywiol heliwr y maes oedd rholiwr y môr.
Oddi fry uwch y chwibanwyr gloywbib, uwch callwib
    y cornicyllod,
Dygai i mi y llonyddwch mawr.

Rhoddai i mi'r cyffro lle nad oedd
Ond cyffro meddwl yr haul yn mydru'r tes,
Yr eithin aeddfed ar y cloddiau'n clecian,
Y brwyn lu yn breuddwydio'r wybren las.
Pwy sydd yn galw pan fo'r dychymyg yn dihuno?
Cyfod, cerdd, dawnsia, wele'r bydysawd.
Pwy sydd yn ymguddio ynghanol y geiriau?
Yr oedd hyn ar Weun Parc y Blawd a Parc y Blawd.

A phan fyddai'r cymylau mawr ffoadur a phererin
Yn goch gan heulwen hwyrol tymestl Tachwedd
Lawr yn yr ynn a'r masarn a rannai'r meysydd
Yr oedd cân y gwynt a dyfnder fel dyfnder distawrwydd.
Pwy sydd, ynghanol y rhwysg a'r rhemp?
Pwy sydd yn sefyll ac yn cynnwys?
Tyst pob tyst, cof pob cof, hoedl pob hoedl,
Tawel ostegwr helbul hunan.

Nes dyfod o'r hollfyd weithiau i'r tawelwch
Ac ar y ddau barc fe gerddai ei bobl,
A thrwyddynt, rhyngddynt, amdanynt ymdaenai
Awen yn codi o'r cudd, yn cydio'r cwbl,
Fel gyda ni'r ychydig pan fyddai'r cyrch picwerchi
Neu'r tynnu to deir draw ar y weun drom
Mor agos at ei gilydd y deuem—
Yr oedd yr heliwr distaw yn bwrw ei rwyd amdanom.

O, trwy oesoedd y gwaed ar y gwellt a thrwy'r goleuni
    y galar
Pa chwiban nas clywai ond mynwes? O, pwy oedd?
Twyllwr pob traha, rhedwr pob trywydd,

Hai! y dihangwr o'r byddinoedd
Yn chwiban adnabod, adnabod nes bod adnabod.
Mawr oedd cydnaid calonnau wedi eu rhew rhyn.
Yr oedd rhyw ffynhonnau'n torri tua'r nefoedd
Ac yn syrthio'n ôl a'u dagrau fel dail pren.

Am hyn y myfyria'r dydd dan yr haul a'r cwmwl
A'r nos trwy'r celloedd i'w mawrfrig ymennydd.
Mor llonydd ydynt a hithau a'i hanadl
Dros Weun Parc y Blawd a Parc y Blawd heb ludd,
A'u gafael ar y gwrthrych, y perci llawn pobl.
Diau y daw'r dirháu, a pha awr yw hi
Y daw'r herwr, daw'r heliwr, daw'r hawliwr i'r bwlch,
Daw'r Brenin Alltud a'r brwyn yn hollti.

MEWN DAU GAE

Waldo Williams

DAIL PREN (Gwasg Aberystwyth, 1956)

Bu cryn dipyn o ymdrin â'r gerdd anodd hon. Mae hi'n anodd am fod y profiad a geir ynddi'n un prin—neu, o leiaf, yn honedig brin. Mae hi'n anodd am fod amgyffred ffigurau neu ddelweddau'r bardd yn dipyn o dasg. Mae hi'n anodd, hefyd, am fod yma eiriau ac ymadroddion sydd i fod i gysylltu â phethau eraill neu i fod i gyfeirio atynt. Y mae yn y gerdd, hefyd, rai delweddau a phrofiadau a syniadau sy'n gyfoethocach a llawnach os yw rhywun yn gyfarwydd â hwy yng ngherddi eraill Waldo Williams.

Profiad crefyddol sydd yn y gerdd neu, efallai, ryw fath o brofiad cyfriniol. Hanfod profiad cyfriniol yw fod dyn yn colli ei ymwybod ohono ei hun ac yn ei deimlo ei hun yn rhan o Dduw. Y mae ymchwil wyddonol ddiweddar (yn enwedig o dan gyfarwyddyd gŵr o'r enw Aleister Hardy) yn awgrymu bod rhyw fath o brofiad cyfriniol, ac, yn sicr, rhyw fath o brofiadau crefyddol yn llai anghyffredin nag y tybir. Y mae yna eiliadau ym mywyd llaweroedd pan fônt yn ymdeimlo â rhyw bresenoldeb sy'n anesboniadwy. Yn wir, rhyw fath o dorri allan o'r hunan, o ystyried rhywun neu rywbeth yn bwysicach na chwi eich hun, yw pob cariad. Fe all fod elfennau o Dduw yn hynny, oherwydd mai 'Duw, cariad yw'.

Y mae'r bardd yn cysylltu profiad crefyddol y gerdd â man arbennig, sef â dau gae. Yr enw ar y cae cyntaf yw Gweun Parc y Blawd; enw'r ail gae yw Parc y Blawd—mae'r enwau hyn mor debyg nes bod yn gymysglyd. (Gyda llaw, un o eiriau Dyfed am *gae* yw 'parc' [lluosog *perci*].) Tystiodd y bardd mai pedair ar ddeg oed ydoedd pan gafodd y profiad gwreiddiol:

> Dau gae ar dir cyfaill a hen gymydog i mi, John Beynon, Y Cross, Clunderwen, yw Weun Parc y Blawd a Parc y Blawd. Yn y bwlch rhwng y ddau gae tua deugain mlynedd yn ôl sylweddolais yn sydyn, ac yn fyw iawn, mewn amgylchiadau personol tra phendant, fod dynion, yn gyntaf dim, yn frodyr i'w gilydd.

Ysgrifennodd y geiriau hyn yn 1958. Y mae'r ymdeimlad hwn o frawdoliaeth dynion yn un o brif brofiadau bywyd a barddoniaeth Waldo Williams. Y mae'r geiriau 'brawdoliaeth dynion' yn gyffredin; yn ystrydebol o gyffredin: un o gampau Waldo Williams yw iddo fedru rhoi bywyd parhaol ac angerdd dwfn yn ei brofiad ef o frawdoliaeth dynion.

Y mae'r gerdd hon yn dechrau, yn y ddau gae arbennig y cyfeiriwyd atynt, â gweledigaeth orfoleddus o fôr o oleuni yn ymrolio. Cafodd y bardd y weledigaeth hon ar ôl holi'n hir mewn tywyllwch, mewn anneall. 'Dyw'r anneall hwn ddim yn peidio gyda dyfodiad y weledigaeth o oleuni—mae cwestiynau i'w gofyn o hyd, yn enwedig trwy hanner cyntaf y gerdd:

> O ba le'r ymroliai'r môr goleuni . . .?
> O b'le deuai, yr un a fu erioed?
> Neu pwy, pwy oedd y saethwr, yr eglurwr sydyn?
> Pwy sydd yn galw pan fo'r dychymyg yn dihuno? . . .
> Pwy sydd yn ymguddio ynghanol y geiriau? . . .
> Pwy sydd, ynghanol y rhwysg a'r rhemp?
> Pwy sydd yn sefyll ac yn cynnwys? . . .
> Pa chwiban nas clywai ond mynwes? O, pwy oedd?

Y mae profiad, neu deimlad, o ddealltwriaeth yn dod i'r bardd yn ei gerdd.

Wrth holi ei gwestiynau am ddirgelwch yr ymdeimlad o Dduw y mae'r bardd yn cael mwy a mwy o deimlad o eglurhad. Y mae'r Bod sy'n rholio'r môr goleuni, yr un a roddodd i'r bardd deimlad o orfoledd, yn esbonio pethau—y mae'n *saethu* esboniadau i feddwl y bardd, y mae'n

> *saethwr*, yn *eglurwr sydyn*.

Y bardd ei hun a esboniodd beth yw arwyddocâd y *saethwr* hwn, sef, mai efô yw'r un sy'n saethu esboniadau i'r meddwl. Oni bai iddo wneud hynny byddai'r ddelwedd yn un hynod o anodd ei hesbonio.

Yn y llinell nesaf fe gawn y bardd yn sylweddoli rhywbeth, mae un peth yn dod yn eglur iddo:

> Bywiol heliwr y maes oedd rholiwr y môr.

Y mae, yn awr, yn ymwybodol o'r Bod yma a fu erioed fel *rholiwr y môr* goleuni a hefyd fel *heliwr y maes*. Ymdrechion yw'r rhain i roi inni luniau o'i ymdeimlad o'r Bod. Y mae'r Bod hwn fel petai'n rhoi iddo, oddi uchod—o'r nefoedd, fel petai—ymdeimlad o lonyddwch, a hynny er gwaetha'r ffaith fod yna adar yn gwibio a chwibanu uwch y ddau gae. Y mae'r ymdeimlad o lonyddwch yn gryfach na sŵn a symud pethau'r byd—a gynrychiolir yma gan yr adar a'u symud a'u sŵn.

> Dygai i mi y llonyddwch mawr . . .

Dyna ddiwedd y pennill cyntaf. Y mae llonyddwch mawr, y canol llonydd, yn hen, hen ddelweddau o ymgolli yn y Duwdod; ac y maent i'w cael drwy weithiau'r cyfrinwyr.

Dechreua'r ail bennill â geiriau sy'n ymddangos yn rhai cwbl groes i ddiwedd y pennill cyntaf:

> Rhoddai i mi'r cyffro . . .

Yr ydym, yma, yn ymdrin â theimlad eithaf anodd, sef un sydd fel petai'n ei wrth-ddweud ei hun: y mae fel rhew sydd mor oer nes ei fod yn teimlo'n gynnes. 'Cyffro llonyddwch' ydyw'r teimlad hwn ac y mae'n gysylltiedig â'r ddau gae ar amser arbennig, sef yr haf. Yn awr crea'r bardd argraff o'r llonyddwch cyffrous hwn ar ddiwrnod braf. Mae yno:

> . . . gyffro meddwl yr haul yn mydru'r tes . . .

Mydru yw barddoni: sut y gellir synio am des yn cael ei fydru? Mae esboniad yr Athro Bedwyr Lewis Jones yn taro i'r dim:

> Ar ddiwrnod poeth, braf fe fyddwch yn gweld y gwres yn crynu'n donnau o'ch blaen.

Y mae fel petai'r tonnau hyn yn dod i feddwl yr haul sydd wedi ei 'bersonoli', fel y dywed yr Athro, a'i gyflwyno inni fel bardd. Y mae yma, hefyd, greu argraff synhwyrus iawn o lonyddwch diwrnod poeth —pethau'n gryndod yn y gwres; y distawrwydd sydd mor llethol nes eich bod chwi'n clywed clecian bach yr eithin wrth i'r codau fwrw eu hadau; a'r argraff (sy'n awgrymu dyn yn gorwedd ar wastad ei gefn ac yn edrych i fyny) fod y brwyn yn *breuddwydio'r wybren las*. Y mae *breuddwydio'r wybren las* yn gystrawen ód (y mae'r llinell gyfan yn gynghanedd, gyda llaw): awgrymu y mae hi fod y brwyn, trwy freuddwydio, yn peri i'r awyr las ddod i fod. Y mae'r llonyddwch hwn y gwnaeth y bardd inni ei deimlo fel petai'n rhyddhau'r dychymyg. Yma y mae dychymyg y bardd yn ymdeimlo â rhyw fodolaeth—y 'pwy' y sonia amdano. Y mae'r bardd, trwy ei ddychymyg, yn teimlo bod llais y Bod y mae'n ymdeimlo â'i bresenoldeb yn dweud wrtho:

> Cyfod, cerdd, dawnsia, wele'r bydysawd.

Y mae yna lawenydd yn yr ymdeimlad,—*Cyfod, cerdd, dawnsia*—ond llawenydd ydyw nad yw'n darfod gyda'r weledigaeth bersonol: *wele'r bydysawd* meddir, gan awgrymu nad ymwneud â'r unigolyn ei hun yn unig y mae'r weledigaeth. Nid yw'n syndod o gwbl ein bod ni, yn nhri phennill olaf y gerdd, yn troi at y ddynoliaeth a gweledigaeth o'r llawenydd a all fod i'r ddynoliaeth.

Ond er bod rhai pethau'n dod yn eglurach i'r bardd, 'dyw popeth ddim yn eglur; y mae'r dirgelwch, yr elfen anesboniadwy, yn aros:

> Pwy sydd yn ymguddio ynghanol y geiriau?

Yn ei ddrama *Saint Joan* y mae Bernard Shaw'n gwneud i Robert, sy'n holi Joan o Arc ynghylch y 'lleisiau' yr oedd hi'n eu clywed, ddweud hyn:

> They come from your imagination.

Dyma ateb Joan:

> Of course. That is how the messages of God come to us.

Y mae'n ffaith fod yna bobl sydd wedi clywed 'lleisiau' yn eu hannog i ladd eu plant a gwneud pethau dyrchynrllyd, gwallgof; ond, fel y dywed Shaw yn ei Ragymadrodd i *Saint Joan*:

> The test of sanity is not the normality of the method but the reasonableness of the discovery.

Ergyd hyn yw peri inni feddwl yn wahanol i'r arfer am y 'dychymyg'. Yn lle bod y dychymyg yn perthyn i freuddwydion ac ynfydrwydd a phethau *'nad ydynt yn bod'*, pethau nad ydynt yn *'wir'* mewn ystyr faterol a llythrennol, y mae Shaw—yn ei ffordd fater o ffaith—yn gwneud y dychymyg yn gynneddf sy'n gweld y tu hwnt i'r materol. Gallwn ddweud bod y dychymyg, yn eithaf aml, yn gynneddf sy'n gweld y tu hwnt i bethau y gellir eu cyffwrdd a'u teimlo at Wirionedd uwch. Ond inni beidio â meddwl am y dychymyg fel petai o'n rhywbeth sy'n anwiredd neu'n rhywbeth sy'n dibrisio'r gwirionedd fe ddown i sylweddoli mai ffrwyth eu dychymyg oedd gweledigaethau mawr proffwydi'r Hen Destament, dyweder. Fe sylweddolwn, hefyd, nad rhywbeth sy'n perthyn i gyfnod y Beibl yw gweledigaethau mawr y dychymyg: y maent yn dal i ddigwydd. Ffordd wahanol i'r ffordd ffeithiol o ddod o hyd i wirionedd yw'r dychymyg. Y mae nifer o lenorion ac artistiaid a cherddorion o bwys wedi tystio i bwysigrwydd y dychymyg iddynt hwy ac i'r ddynoliaeth—dyna ichwi'r Saeson William Blake a Samuel Taylor Coleridge, er enghraifft. Dyna ichwi'r bardd mawr o Wyddel, W. B. Yeats. A dyna ichwi, mewn ffordd fwy gwyddonol, y seicolegwr mawr Carl Gustav Jung. Fel un enghraifft benodol o weledigaeth y dychymyg dyna ichwi gerflun Jacob Epstein o 'Rock Drill'. Gweledigaeth y dychymyg o gyflwr dyn yn yr ugeinfed ganrif a gyflwynodd o inni. Dywedodd wrthym fod elfennau mecanyddol, caled yn dod i afael yn y ddynoliaeth. Y mae i ddychymyg treiddiol fel hwn le pwysig yn ffordd Waldo Williams o edrych ar fywyd. Y mae 'Awen' yn enw arall ganddo ar y gynneddf hon (gweler y pedwerydd pennill o'r gerdd dan sylw, a cherddi eraill gan Waldo Williams). Trwy'r dychymyg, trwy'r awen y mae o'n honni ymdeimlo â Duwdod. Dyma rai o'i eiriau ar y pwnc:

> Mae hir arfer ag amodau'n gwareiddiad wedi sugno'r dychymyg allan o'n hymennydd, hyd na allwn feddwl am yr amodau newydd . . . Nid oes dim a'n rhyddha ond yr ymateb rhwng personau. Y mae tynerwch at ddioddefiannau eraill yn arweinydd trwy fannau sydd yn ddyrys i'r rheswm oni ddeffroir ef gan y dychymyg.

Yn y trydydd pennill nid yr haf llonydd a thesog yw hi, ond Tachwedd tymhestlog. Cawn greu cyffro'r dymestl mewn geiriau fel:

Rock Drill
(Jacob Epstein)

cymylau mawr ffoadur a phererin,

geiriau sydd, yn wastad, yn f'atgoffa i am eiriau gan y bardd T. S. Eliot o'i gerdd 'Little Gidding', *'the spirit unappeased and peregrine'*. Mae coch yn lliw egr yn y llinell:

Yn goch gan heulwen hwyrol tymestl Tachwedd.

Ond mewn man arbennig rhwng y ddau gae y mae yna ryw fath o gysgod sy'n newid sŵn y gwynt yn y coed, a lle mae:

dyfnder fel dyfnder distawrwydd.

Yng nghyffro'r byd naturiol y mae'r llonyddwch yn gafael yn y bardd ac y mae o'n dal i holi ynghylch y Bod y mae'n ymdeimlo â'i bresenoldeb:

Pwy sydd, ynghanol y rhwysg a'r rhemp?
Pwy sydd yn sefyll ac yn cynnwys?

Cynnwys yw annog, galw ymlaen. Y mae rhai lluniau sydd fel petaent yn cyffwrdd ag elfennau cyntefig yn y meddwl dynol—y mae'r ffigwr sy'n sefyll ac yn cynnwys yn un ohonynt. Dyna'r weledigaeth honno a gafodd yr apostol Paul o ŵr o Facedonia 'a safai, ac a ddeisyfai arno . . .' Dyna amneidiau ysbryd tad Hamlet. Y mae'r weledigaeth yn dyfnhau fel yr ymdeimla'r bardd fwyfwy â'r presenoldeb dirgel a chawn luniau neu ddelweddau sy'n rhoi inni agweddau arno. Pwy ydyw? Dyma ymdrechion at gyfleu inni natur y Bod—sylwer bod yna gyfeiriad at Grist fel 'y Tyst ffyddlawn' yn Llyfr y Datguddiad (I. 5):

Tyst pob tyst—sef ffynhonnell pob gwybod
cof pob cof—un sy'n bod erioed
hoedl pob hoedl—y bywyd sydd ym mhob peth byw
Tawel ostegwr helbul hunan—yr un sy'n dwyn ymaith
bryderon dyn amdano'i hun.

Oddi wrth yr 'hunan' y mae'r bardd yn troi at bobl, at y ddynoliaeth (y mae *cymdeithas* yn air rhy gyfyng i gyfleu'r weledigaeth sydd yma). Y mae'n gweld yr *hollfyd* fel rhan o'i weledigaeth. Y mae yna *berthynas* rhwng dynion, y mae'r awen—y dychymyg—yn dangos hynny ac fe bwysleisir y berthynas â'r arddodiaid:

trwyddynt, rhyngddynt, amdanynt . . .

Cynigion ar fynegi'r berthynas yw'r geiriau hyn. Mae yna gynigion eraill—yr awen yn *ymdaenu; yn cydio'r cwbl:* dyna un. Y mae'r ail yn gyffelybiaeth; dynodir y 'Berthynas' fel y berthynas a deimlodd y bardd rhwng pobl gyda'i gilydd yn helpu adeg cynhaeaf gwair (y *cyrch picwerchi*) neu adeg cynaeafu brwyn at doi toeau gwellt (*tynnu to deir draw ar y weun drom*). Ni allaf, mwy na Dafydd Elis Thomas, weld pam na ddylai *ei* yn y llinell nesaf oll fod yn *ein*:

> Mor agos at ei[n] gilydd y deuem.

Yn yr agosrwydd hwn rhwng pobl y mae Duw i'w deimlo. Y ddelwedd olaf o'r 'Berthynas' yw fod yr *heliwr* y soniwyd amdano yn y pennill cyntaf yn dal dynion â rhwyd o gariad:

> Yr oedd yr heliwr distaw yn bwrw ei rwyd amdanom.

Yma fe gawn ddwy ddelwedd o'r Bod—sef yr un o'r heliwr (gweler y pennill cyntaf), a'r un o'r heliwr yn bwrw rhwyd i greu perthynas o agosrwydd a chariad rhwng pobl, sef yn dod â phobl at ei gilydd.

Yn yr hen ganu Cymraeg a elwir yn Ganu Heledd y mae llinell am Y Dref Wen, tref ffin lle'r oedd rhyfela o hyd:

> Ar wyneb ei gwellt y gwaed.

Fe nodwyd gan eraill y tebygrwydd rhwng y llinell hon a:

> trwy oesoedd y gwaed ar y gwellt

a geir yn y gerdd hon. Cyfeirio at gyfnodau arwrol rhyfel a wna Waldo Williams yma. Ond trwy 'Orfoledd' neu *oleuni* yr oesoedd hynny yr oedd yna hefyd alar y dinistr. Yn y *galar* hwnnw yr oedd teimlad a ymglywai â'r Bod a ddywedai nad ffordd casineb oedd ffordd bywyd. Yr oedd yr *heliwr* fel petai'n *chwibanu* i dynnu sylw pobl. Ond y fynwes, y galon—sy'n hen symbol o deimlad dynol a chariad—y galon yn unig a allai 'glywed' y chwiban hwn. Hynny yw, fel yng Nghanu Heledd, yn ninistr rhyfel a lladd y mae pobl yn dechrau holi a yw gogoniant milwrol ac arwriaeth rhyfelwyr yn werth y boen a'r galar sy'n dod i ganlyn y pethau hynny. Yn y cyflwr hwnnw mae pobl yn tueddu i droi i chwilio am ffordd well na ffordd rhyfel. Unwaith y mae'r dyhead am gyd-fyw'n heddychlon gyda'i gyd-ddyn yn dod i galon dyn y mae'r hiraeth am gariad yn bod ynddo, neu—a rhoi'r peth mewn ffordd arall—y mae'n ymglywed â phresenoldeb Duw. Neu, fel y dywed y bardd yma, y mae'n dechrau clywed yr *heliwr* yn *chwibanu*.

Ond nid yw'r holi wedi peidio. *Pwy oedd*? Sylwer ar yr *oedd* yma, ffurf ar y ferf sy'n cyfeirio at y gorffennol. Y mae'r bardd yn awr yn holi am y Bod mewn oesoedd a fu. Y mae ei brofiad personol yn esbonio profiad dynol, profiad oesau dyn iddo. Mae'r amryw gynigion at ddweud pwy oedd yn dod eto, un ar ôl y llall. Cynigion ydynt ar ddweud sut un yw Duw:

> Twyllwr pob traha—yr un nad yw'n gormesu
> rhedwr pob trywydd—dyma inni eto ddelwedd yr heliwr

Yna gyda 'Hai!' daw sylweddoliad newydd a delwedd newydd:

> y dihangwr o'r byddinoedd

—*deserter* ydyw chwedl Waldo Williams wrth esbonio'r gerdd, neu'r *tangnefeddwr*.

Pa effaith a gaiff yr ymglywed hwn â Duw, yr ymdeimlad hwn o gariad? Yr ateb yw:

> adnabod, adnabod nes bod adnabod.

Y mae ailadrodd y gair hwn, sy'n un o eiriau allweddol gwaith Waldo Williams, yn dyfnhau effaith y gair a'r teimlad. Yn y Beibl y mae'r gair *adnabod* yn cael ei ddefnyddio am yr uniad dwysaf mewn cariad rhwng gŵr a gwraig. Y mae ymdeimlad dwys o Dduw hefyd yn uno dynion, yn eu tynnu i stad o fodolaeth sydd y tu hwnt iddynt eu hunain, y tu hwnt i hunanoldeb.

Nid yw'r ddelwedd hon o uno dau berson mewn cariad (sydd, yn ein cymdeithas ni, yn aml mor ddideimlad â chwna) ddim ymhell o'r llinellau a ddaw wedyn ychwaith:

> Mawr oedd cydnaid calonnau wedi eu rhew rhyn.
> Yr oedd ffynhonnau'n torri tua'r nefoedd
> Ac yn syrthio'n ôl a'u dagrau fel dail pren.

Y mae 'cariad', yn aml, yn cael ei ddynodi fel teimlad 'cynnes' a chasineb fel teimlad 'oeraidd': dyna sydd yma. Yn lle oerni casineb y mae yma gynhesrwydd cariad. Yn lle *rhew* y mae yma ddyfroedd a ffynhonnau. Y mae i ddyfroedd a ffynhonnau hen, hen gysylltiadau â bywyd. Ac y mae yma *ddagrau* o ryddhad. (Derbyniodd y bardd y cambrintiad o *dagrau* yn lle ei *dafnau* gwreiddiol ef ei hun yn y fan hon.) Mynegi gorfoledd a wneir yma. Dyma eiriau'r bardd ei hun:

> Ar adegau o orfoledd daw popeth o gwmpas i ddyn yn fyw, ac os byw eisoes, yn fywiocach, a byddaf yn gweld prennau fel ffynhonnau yn saethu i fyny i'r awyr, ac yn syrthio'n ôl a'u diferion yn ddail. Felly, wrth ddisgrifio gorfoledd rhyddhau'r galon troais y ddelwedd a dywedais fod y gorfoledd hwn fel ffynhonnau oedd a'u dafnau [yma *dagrau*] fel dail pren wrth ddod i lawr.

Y mae'r ddelwedd o *ddail pren* yn un syml, uniongyrchol fel y disgrifiwyd hi yma; yn fater o weld un peth yn debyg i rywbeth arall, o weld *dagrau* yn debyg i *ddail*. Ond y mae yna adlais Beiblaidd yn y geiriau hefyd, adlais sy'n cyfoethogi ystyr y darn hwn, a'r gerdd gyfan. Dyma'r geiriau a adleisir:

> Yng nghanol ei heol hi, ac o ddau tu'r afon, yr oedd pren y bywyd, yn dwyn deuddeg rhyw ffrwyth, bob mis yn rhoddi ei ffrwyth: a dail y pren oedd i iacháu'r cenhedloedd.
>
> (Datguddiad 22. 2)

Rhan o weledigaeth Ioan y Difinydd o'r nefoedd neu'r 'Jeriwsalem newydd' yw'r geiriau hyn. Y syniad sydd ganddo ef yw y gellir defnyddio dail y pren, fel y defnyddir llysiau, at wneud meddyginiaeth i iacháu pobl. Cymhwyso gweithgarwch meddyginiaethol at gyflwr ysbrydol a wna Ioan, wrth reswm,—dweud bod dail Pren y Bywyd yn dod â iachâd ysbryd. Y mae Pren y Bywyd yn bren oedd yng Ngardd Eden, ac yn bren a waharddwyd i ddynion pechadurus. Yn niwedd y byd bydd pethau mor berffaith ag yr oeddynt yn y dechrau un pan gafodd dyn ei greu gyntaf. Ond nid at Bren y Bywyd yn Eden yn unig y cyfeiria Pren y Bywyd Ioan; y mae hefyd yn cyfeirio at Bren y Groes. Trwy ddioddefaint Crist ar Bren y Groes y gwnaed y Jeriwsalem Newydd yn bosibl. Y mae'r ystyriaethau hyn i gyd yn cyfoethogi ystyr y rhan hon o gerdd Waldo Williams. Y mae'r cariad y sonia'r bardd amdano yn gariad a ddangosodd Crist i'r Byd.

Am y cariad sy'n dwyn pobl at ei gilydd a'u gwneud yn frodyr i'w gilydd y myfyria'r dydd a'r nos, meddai'r bardd yn y pennill olaf. Dweud bod Amser ei hun yn disgwyl am y cariad a wna hyn. Llun o'r nos a'r awyr yn llawn sêr, yn debyg i ymennydd, yw *mawrfrig ymennydd*, yn ôl y bardd. Mae llinellau anodd yn dilyn:

> Mor llonydd ydynt a hithau a'i hanadl
> Dros Weun Parc y Blawd a Parc y Blawd heb ludd,
> A'u gafael ar y gwrthrych, y perci llawn pobl.

At bwy y cyfeiria'r ferf *ydynt* a'r rhagenw yn 'A'*u*', a phwy yw'r *hithau*? Mae'n drueni fod y ferf a'r rhagenwau hyn mor ddigyswllt; y maent yn creu penbleth ddi-alw-amdani. Yn eu cyd-destun credaf mai at 'y perci llawn pobl', y bobl y mae'r bardd fel petai wedi eu gweld yn ei ddau gae, y cyfeiria'r *ydynt* a'r *eu*. A chredaf mai at yr *awen* y cyfeiria'r *hithau*. Mae'r awen yn awr heb ddim i'w rhwystro (*heb ludd*) ac y mae'r bobl wedi cael gafael ar Dduw *(a'u gafael ar y gwrthrych)*.

Diau y daw'r dirhau. Dyna daro'r neges â phendantrwydd terfynol. Ystyr *dir* yw 'gwir', 'sicr o ddod', 'anochel'. Y mae iddo'r ystyr o 'gyfyngder' neu 'galedi' hefyd. Mae'r ystyron hyn i gyd yn y berfenw *dirhau* a wnaed o'r gair *dir*. Mae'r 'cyfyngder', y 'caledi' sy'n rhoi gweledigaeth i Dduw i ddynion, yn 'sicr' o ddod.

Diwedda'r gerdd â chwestiwn nad yw wedi ei ddynodi fel cwestiwn. Y rheswm am hynny yw fod dyfodiad Duw yn ddigwestiwn o sicr; 'pryd y daw?' yw'r unig beth anhysbys. Â sicrwydd y dyfodiad ac nid â holi ynghylch ei amseriad y gorffennir y gerdd. Pwy sydd i ddyfod?

Yr herwr— ar y diwedd un cawn ddelwedd newydd o Dduw; y mae'n ei gyfleu fel potsier yn y byd sydd ohoni. Y mae'r byd cas sydd ohoni am gadw Duw allan ohono: dyna pam y dywedir mai potsier yw Duw.

Yr heliwr— Yma dychwela'r bardd at un o'r prif ddelweddau o Dduw yn ei gerdd.

Yr hawliwr—yr un sy'n dod i hawlio. O ran sain y mae'n debyg iawn i *heliwr*, ac oherwydd hynny y mae'r ddau air yn cryfhau ei gilydd.

Gyda'r llun o'r hawliwr yn dod i'r bwlch yr ydym yn cael eto hen, hen ddelwedd sy'n apelio'n gryf at y dychymyg. Yn rhyfedd iawn, delwedd o fyd arwrol rhyfela ydyw, lle'r oedd y gŵr cadarn yn sefyll yn y bwlch: y mae'r byd hwnnw wedi ei droi â'i ben i lawr bellach gan mai cariad nid casineb sydd yn y bwlch. Yna daw'r ddelwedd olaf un o Dduw'n dod yn ei ôl i'w fyd ac yn cael ei gydnabod. Delwedd o rym bydol wedi ei droi â'i phen i lawr a geir yma eto, sef Brenin. Dywed y bardd fod rhywfaint o ôl syniad a geir mewn llinellau o nerth dirgel gan y bardd o Wyddel A. E. y tu ôl i'w syniad ef o'r Brenin Alltud:

Sometimes when alone
At the dark close of day
Men meet an outlawed majesty
And hasten away.

Bid a fo am hynny, y mae delwedd Waldo Williams yn sefyll ar ei thraed ei hun ac yn cael ei chloi yn y llinell yn gryf a therfynol gan gynghanedd:

Daw'r Brenin Alltud a'r brwyn yn hollti.

Y mae'r brwyn, y mân bethau—'y nerthoedd . . . piau'r byd bryd hynny', chwedl y bardd—yn rhoi ffordd i'r grym sy'n dychwelyd, yn dod yn ei ôl.

Y mae hon yn gerdd o fyfyrdod angerddol ac yn un sydd yn anodd i'w hamgyffred, yn bennaf gan fod dychymyg y bardd yn symud o'r naill beth i'r llall i geisio cyfleu ei ymdeimlad o Dduw. Fe all y symud llac hwn amharu ar ymateb dyn i'r gerdd. Y mae'r ymdeimlad neu'r weledigaeth yn un bersonol i ddechrau, ac yna'n weledigaeth o ddynoliaeth mewn perthynas o gariad trwy rym yr hyn a eilw'r bardd yn awen, neu ddychymyg. Fe gyflwynir y weledigaeth derfynol fel rhywbeth eto i ddod, fel gweledigaethau eraill o ddiwedd pethau, gweledigaethau megis y Jeriwsalem Newydd a'r Mil Blynyddoedd, fel amser pryd y bydd popeth yn dda. Ond fe gyflwynir, hefyd, weledigaeth neu ymdeimlad o'r hyn yw Duw, sef llonyddwr yr hunan, yr un sy'n dod â phobl at ei gilydd mewn brawdoliaeth a chariad. Pan fo dyn yn y cyflwr hwn, dyna pryd y mae'n adnabod Duw. Yr adnabod hwn a ddengys i ddyn bosibiliadau ei berthynas â phobl eraill, a gwir bosibiliadau'r unigolyn a'r ddynoliaeth.

ALUN LLYWELYN-WILLIAMS

Ganwyd ar 27 Awst, 1913. Magwyd ef yng Nghaerdydd. Yno, hefyd, y cafodd ei addysg, mewn ysgol a choleg. Bu'n un o fyfyrwyr W. J. Gruffydd yng Ngholeg Prifysgol Cymru, Caerdydd. Ceir golwg ar y bardd ac ar ei ddinas yn ei gyfrol, *Gwanwyn yn y Ddinas*.

Ar ôl gadael y coleg bu'n gweithio am gyfnod byr yn Llyfrgell Genedlaethol Cymru, yn Aberystwyth. Yna dychwelodd i Gaerdydd i fod yn gyhoeddwr ar staff y B.B.C. Pan ddaeth y rhyfel yn 1939 bu am flwyddyn yn Llundain yn helpu Sam Jones ac eraill i sefydlu'r Adran Newyddion Cymraeg yno. Wedyn bu yn y fyddin am bum mlynedd, gan dreulio cyfnodau yn Wrecsam; De Lloegr; Aberhonddu; Ffrainc; Yr Iseldiroedd, a'r Almaen. Ar ôl y rhyfel aeth yn ei ôl at y B.B.C., yn gynhyrchydd sgyrsiau ym Mangor. Yn 1948 fe'i penodwyd yn Bennaeth Adran Efrydiau Allanol, Coleg Prifysgol Gogledd Cymru, Bangor. Yn ddiweddarach dyrchafwyd ef yn Athro. Daliodd y swydd nes iddo ymddeol yn 1979. Bu'n Llywydd Adran Gymraeg Yr Academi Gymreig o 1978 hyd 1981, a bu'n Gadeirydd Cymdeithas Gelfyddydau Gogledd Cymru o 1977 hyd 1981.

Ym Medi 1938, priododd Alis Stocker. Y mae ganddynt ddwy o ferched.

Yn ogystal â bod yn fardd, y mae Alun Llywelyn-Williams yn llenor ac yn un o'n prif feirniaid llenyddol. Llais gwarineb ynghanol byd y mae ynddo fygythiadau a dinistr a geir ym marddoniaeth Alun Llywelyn-Williams. Y mae ei leferydd syber, *urbane* hefyd, yn sôn am serch, ac am funudau sydd, ar dröell ddiwrthdro amser, yn magu rhyw arwyddocâd cyfrin, parhaol.

Cerddi 1934-1942 (1944)
Pont y Caniedydd (1956)
Y Golau yn y Gwyll (1979)

Y LLEUAD A'R TU HWNT

'Rown-i wedi anghofio
pa mor dawel ddibryder
y gall noson gaeaf fod,
mor llonydd y coed llymun
dan syfrdandod y lleuad,
mor llwyr goruchafiaeth
tangnefedd y gofod mud
ar ddwndwr y ddaear friw.
'Rown-i wedi anghofio.

Ai ennyd o angau ydoedd?
Y dwndwr sy'n ennill,
a'r distawrwydd yn darfod.
Dere i'r tŷ, ebr llais annwyl,
yn galw, galw i'r golau gwneud,
i'r gwres lle mae'r byd yn cronni
a'i lygad yn pefrio'n llafar hyglyw
gan orfoledd dyn yn trywanu'r gofod
o'r lleuad ei hun heno, yn bloeddio o blaned i blaned,
a sŵn ei draed, gallwn daeru,
i'w glywed yn crensian yn greulon
ronynnau llwch mudandod ei goncwest newydd.

Y LLEUAD A'R TU HWNT

Alun Llywelyn-Williams

Y GOLAU YN Y GWYLL (Gee, 1979)

Dyma gerdd gan un o feistri mawr y wers rydd. Y mae ansawdd y llefaru'n gwbl naturiol, fel dyn yn sgwrsio (ond sylwer fod y llefaru yn rhythmig); yn dawel-fyfyrgar, ac yn gymen. Mae geiriau pawb ohonom ni'n creu argraff o'r hyn ydym ni: y mae'r llais hwn yn llais gwaraidd a doeth, yn rhoi'r argraff o fod wedi hir ystyried y byd a'i bethau. Ac yma y mae'r bardd yn ystyried dyn a'r bydysawd yn sgîl camp dechnolegol enfawr dyn yn gosod ei draed ar y lleuad.

Y mae'r bardd allan ger y tŷ ar noson dawel o aeaf. Yno y mae'n ailddarganfod tawelwch. Creu'r tawelwch hwn yn ein dychymyg y mae'r pennill cyntaf: y mae rhythm pwyllog y pennill, y geiriau allweddol sy'n cael eu hacennu gan y rhythm, yr adeiladu argraff o air arwyddocaol i air arwyddocaol yn selio'r peth ar ein clyw. Dowch inni nodi'r geiriau arwyddocaol hyn yn y pennill:

> 'Rown-i wedi anghofio
> pa mor *dawel ddibryder*
> y gall noson gaeaf fod,
> mor *llonydd* y coed llymun
> dan *syfrdandod* y lleuad,
> mor llwyr goruchafiaeth
> *tangnefedd* y gofod *mud*
> ar ddwndwr y ddaear friw.
> 'Rown-i wedi anghofio.

Y mae'r golygfeydd a ddangosir inni'n cadarnhau argraff glywadwy'r pennill ar ein golwg:

> Mor *ll*onydd y coed *ll*ymun.

'Noeth' ydi *llymun*; yr ydym yn gweld y coed noeth, llonydd. Ond yn ogystal â'u gweld y mae cyflythrennu ac acennu'r llinell yn sicrhau ein bod yn *clywed* yr olygfa hefyd.

> Dan syfrdandod y lleuad

Dyma olygfa arall. Mae *syfrdandod* yn air haniaethol. Fe ddywedir mai diriaethol ydyw barddoniaeth i fod—'no poetry save in things', fel y dywedodd yr Americanwr William Carlos Williams. Dyna fel y mae hi, fel rheol; ond y mae eithriadau i'r rhan fwyaf o reolau beirniadol. Pweru haniaethau trwy eu troi'n sylweddau y mae Ann Griffiths yn eithaf aml: mae hi'n malu'r rheol haniaethau yma'n racs. A dyma inni yma eithriad arall. Fe ddisgwylid i'r bardd ddweud mai ef sy'n cael ei syfrdanu gan y lleuad. Nid dyna a ddywedir: *syfrdandod* y lleuad, meddai'r bardd. Y mae syfrdandod fel arfer yn fyr ei barhad, ond yma fe roddwyd iddo oesau'r lloer; syfrdandod ydyw sy'n parhau. Am ba hyd y pery, a dyn yn awr yn rhodio arni, sydd gwestiwn, yn ôl ail bennill y bardd.

Dechreuir a diweddir y pennill cyntaf â'r un llinell. Y mae hynny'n rhoi argraff o siâp crwn ac y mae crwn yn un o'r siapiau sy'n reddfol foddhaus i bobl. Y mae ailadrodd y llinell arbennig hon yn sicrhau bod gennym y teimlad a'r syniad mai byd o sŵn ydi byd dyn yr ugeinfed ganrif: yn gymaint felly nes bod rhywun yn gallu anghofio tawelwch:

> 'Rown-i wedi anghofio.

Mae dyn ein byd ni a sŵn yn mynd gyda'i gilydd i'r fath raddau nes bod y cwestiwn:

> Ai ennyd o angau ydoedd?

sef 'ydoedd y distawrwydd llonydd', yn codi i feddwl y bardd. Sŵn sy'n ennill; neu, fel y dywed y bardd:

> Y dwndwr sy'n ennill.

Ystyrier y gair *dwndwr* yn y llinell hon ac yn y llinell:

> ar ddwndwr y ddaear friw

yn y pennill cyntaf. Y mae pwysau'r ystyr sydd o amgylch y gair a'r geiriau eraill sydd gydag ef yn y ddau gyd-destun hyn y rhoi dwy argraff wahanol o'r un gair. Y mae holl awyrgylch a chyd-destun y gair yn y pennill cyntaf yn peri ei fod yn creu argraff ddistawach nag a grea yn ei gyd-destun yn yr ail bennill. Dyna un o'r pethau rhyfedd sy'n gallu digwydd i eiriau mewn barddoniaeth. (Gyda llaw, efallai y dylid nodi bod y treigliadau sy'n digwydd i gytseiniaid Cymraeg yn gymorth i hyn ddigwydd.)

Nid bod yna sŵn mawr yn *dwndwr* yr ail bennill ychwaith—'does yma ddim sŵn fel sŵn y llinell:

> dwndwr darfodedig daear,

er enghraifft. Y mae'r myfyrdod yn parhau . Y mae llais annwyl yn llefaru i'r distawrwydd. Fe all ychydig sŵn ddyfnhau tawelwch. Mae yna argraff nid annhebyg i argraff y llais hwn yn stori Kate Roberts 'Nadolig y Cerdyn'. Mae dau blentyn wedi mynd i'r mynydd ar eira i edrych am hen wraig, ac ar eu ffordd yn ôl mae eu mam yn dod i'w cyfarfod—

> Ni welsant y smotyn arall ar ben y llwybr, nes dyfod ato, a chlywed llais eu mam yn dweud o'r distawrwydd:
> "Mi fuoch yn hir iawn."

Y mae *llais annwyl* y gerdd fel pe bai'n perthyn i'r tawelwch. Ond ei alw i'r golau-gwneud a gaiff y bardd, i wres y tŷ lle mae'r teledydd:

> . . . lle mae'r byd yn cronni
> a'i lygad yn pefrio'n llafar hyglyw
> gan orfoledd dyn yn trywanu'r gofod
> o'r lleuad ei hun heno . . .

Y byd yn *cronni*: dyna inni air am yr holl bethau sy'n dod ar sgrîn fach y teledydd! Mae'r ddyfais electronig yn *pefrio'n llafar hyglyw*. Â'r llygad y mae gweld *pefrio*, â'r glust y mae clywed *llafar hyglyw*. Yma y mae'r ddau gyda'i gilydd yn fath o sioc i'r synhwyrau ac yn creu goleuni swnllyd. Llun o ddyn wedi cyrraedd y lleuad ac yn gorfoleddu am hynny sydd ar y teledydd. Mae sŵn dyn yn ymestyn trwy wacter mud y gofod i'w glywed yn y llinellau nesaf—mae'n *bloeddio*, mae sŵn ei draed *yn crensian yn greulon:*

> ronynnau llwch mudandod ei goncwest newydd.

Mae *llwch mudandod*, fel *syfrdandod y lleuad*, yn gwneud yr haniaethol yn amgyffredadwy i'r synhwyrau. Y mae sŵn dyn a'i dechnoleg, fel petai, bellach, yn fygythiad i'r bydysawd.

Y mae'r gwahaniaeth rhwng syberwyd tawelwch naturiol y pennill cyntaf a'r myfyrdod ar sŵn dyfeisgarwch dyn yn yr ail bennill yn drawiadol. Yn y clyfrwch technolegol pa bethau gwerthfawr, tybed, sy'n mynd ar goll: dyna'r pryder yr ydym yn ei gadw o'r gerdd syber hon.

THOMAS GLYNNE DAVIES

Ganwyd ar 12 Ionawr, 1926, yn Llanrwst. Yn Llanrwst, hefyd, y'i magwyd. Ymadawodd â'r ysgol yn bymtheg oed i weithio yn y Weinyddiaeth Fwyd ym Mae Colwyn. Bu am flwyddyn yn Grwt Bevin, sef yn gweithio mewn pwll glo; Pwll Glo Oakdale, Sir Fynwy. Oherwydd afiechyd fe'i rhyddhawyd o'r pwll ac ymunodd â'r fyddin. Bu yn Aberhonddu i ddechrau, yna bu am ddwy flynedd ar Ynys Malta. Fe'i dyrchafwyd yn Uwch-ringyll. Gan iddo astudio Cemeg ym Mhrifysgol Malta 'roedd yn fwriad ganddo fynd i Goleg y Brifysgol Aberystwyth ar ôl dychwelyd i Gymru. Ar ôl dod yn ôl aeth i weithio mewn ffatri gwneud twymyddion awyrennau ym Machynlleth, ac nid aeth i'r coleg. Pan symudwyd y ffatri i Loegr nid aeth T. Glynne Davies i'w chanlyn. Cafodd waith ar y *Cambrian News* yn Aberystwyth. Bu'n gweithio fel newyddiadurwr am gyfnod, mewn gwahanol fannau, cyn cael ei benodi ar staff adran newyddion y B.B.C. yng Nghaerdydd. Aeth oddi yno at gwmni Teledu Cymru, ond pan aeth hwnnw'n ffliwt dychwelodd at y B.B.C. Yn 1964 dechreuodd weithio fel newyddiadurwr ar ei liwt ei hun, gan wneud llawer o waith i'r B.B.C. Symudodd i'r Wyddgrug i fyw, yna i Fangor, ac yna i'r Hendy, lle y mae'n byw ar hyn o bryd.

Yn 1950 priododd Mair Jones. Y mae ganddynt bedwar o fechgyn.

Heblaw bod yn ddarlledwr sydd wedi creu rhaglenni nodedig, a hynny mewn Cymraeg croyw, y mae T. Glynne Davies, hefyd, yn nofelydd (ef yw awdur *Marged*) ac yn awdur straeon byrion. Yn ei farddoniaeth ceir trwch o Gymraeg nad yw i'w gael yn aml bellach. Gall ymdrin â chefn gwlad ac â bywyd dinas. Fe all fod yn gyrhaeddgar-ddwys hyd yn oed trwy dipyn o glownio.

Llwybrau Pridd (1961)
Hedydd yn yr Haul (1969)

ADFEILION
(detholiad)

VI

Ar y pumed ar hugain o Hydref
Daeth gwreigan fusgrell o'r daflod wair
Gan gamu'n bwyllog dros y grisiau cerrig.

Hen ddwylo clapio menyn,
Hen fysedd fel ceinciau coed,
A'i chapan du
Yn gwlwm ar ei phen.

Syllai pedwar ugain mlynedd ei llygaid
Ar haul hiraethus
Pen Nant yn machlud
Gan hudo'r awyr ar ei ôl
I wely grug
Y mynydd annirwyn.

Unwaith bu'n enethig
Gyflawn-galon, aflonydd,
A nythai
Goleuni'r haul yn ei gwallt.

Bellach 'roedd hirwallt gwyn
Ar ei thalcen creithiog
Fel cudyn gwlân
Ar ddrain y cloddiau,
A'i gwythiennau'n rhydu'n goch
Ym mynwent glòs ei mân esgyrn.

Hen fel trol lwytgoch un-olwyn
Yn madru ger llidiart y mynydd;
Y corff bach bregus
Yn gwylio haul
Hiraethus Pen Nant yn machlud,
A'r hen flynyddoedd
Yn aflonyddu.

Ymaflodd yng nghanllaw goed y gadlas
A chofio swil gyffyrddiad haul
Â sidan gwyn ei bronnau,

A'r nant yn clymu tonnau dŵr
Am frigau gwydn y glannau
Ers talwm.

Hen chwys, hen wellt,
Hen lygaid barus yn y niwl,
Hen chwerthin llesg yr hen leisiau,
Hen wreigan mewn hen gadlas
Yn crafu'r gramen danllyd
Lle mae'r gwaed yn cronni'n llyn.

Ar y pumed ar hugain o Hydref
'Roedd niwl pen y mynydd
Yn ffedog wen
Am darddle'r hirbell afonydd,
A gyrrai iasau'r awelon
Hwb
I geyrydd y diflanedig oriau.

ADFEILION—ADRAN VI

T. Glynne Davies

LLWYBRAU PRIDD (Llyfrau'r Dryw, 1961)

Rhan o gerdd fwy a geir yma, sef rhan o'r bryddest 'Adfeilion', un o'r dyrnaid o gerddi hir yr Eisteddfod Genedlaethol a gafodd argraff barhaol. Gwahanol agweddau ar y testun 'Adfeilion' a geir yn adrannau'r gerdd. Mae 'adfeilion' yn hen bwnc gan feirdd Cymraeg o 'Ddiffaith Aelwyd Rheged' yng Nghanu Llywarch Hen a 'Stafell Gynddylan' o Ganu Heledd (cerdd, gyda llaw, yr oedd T. Glynne Davies yn gwybod amdani pan gyfansoddodd y bryddest hon canys fe geir y geiriau hyn sy'n debyg i eiriau o'r gerdd honno:

> Stafell fy nghariad
> Ys tywyll heno

yn ail adran y bryddest); trwy ddarnau enwog megis 'Yr Adfail' Dafydd ap Gwilym', sôn Ellis Wynne am y 'tai penegored mawr'; a 'Llys Ifor Hael' Ieuan Brydydd Hir hyd at ein canrif ni. Y mae adfeilion yn crynhoi ynddynt eu hunain atgofion am fawredd a gogoniant a bywyd a fu, ac yn gwrthgyferbynnu hynny â thristwch siabi'r presennol. Y mae'r ddelwedd yn un arwyddocaol o ran seicoleg ein cenedl.

Sut bynnag, canolbwyntio ar hen wraig—adfail o berson, megis—a wneir yn yr adran hon. Hen wraig yw hi sy'n perthyn i gefn gwlad, yn enwedig cefn gwlad ardal Llanrwst. Nid yw'r ffaith ei bod hi'n hen wraig o gefn gwlad heb ei arwyddocâd, oblegid y mae Cymru a'r Gymraeg a bywyd cefn gwlad wedi gorfod wynebu diwylliant dinesig cryf yn y ganrif hon. Y mae'r hen wraig, yn y lle cyntaf, yn hen wraig, ond y mae hi, hefyd, yn cynrychioli gwerthoedd a ffordd o fyw sy'n gysylltiedig â bywyd Cymraeg cefn gwlad. Y mae medru dewis ffigur arwyddocaol fel hyn yn un o gampau'r dychymyg.

Daw'r hen wraig, yn yr Hydref, yn fyw iawn inni trwy ddisgrifiadau'r bardd, yn *camu'n bwyllog* fel y bydd hen bobl *dros y grisiau cerrig* o'r tŷ gwair. Gair allweddol y gerdd hon yw *hen* ac fe'i ceir ynddi nifer o weithiau. Dechreuir yma:

> Hen ddwylo clapio menyn,
> Hen fysedd fel ceinciau coed,

'Clapio' yw'r gair am drin ymenyn ar ford neu lechen a'i siapio ar gyfer ei werthu—dyma inni gip ar un o weithgareddau'r hen wraig. Mae'r gymhariaeth, *fel ceinciau coed*, yn dangos ei dwylo cnotiog inni. Ac y mae'r *hen* yn rhoi ei bwysau ar y portread.

Mae'r hen wraig yn bedwar ugain oed, ond dewisodd y bardd ffordd drawiadol—am ei bod yn anarferol—o ddweud hyn, gan dynnu sylw at lygaid y wraig. Golwg ei llygaid hi a'i hatgofion hi sy'n gwneud yr haul yn *hiraethus*. *Machlud* y mae'r haul; dyma ddiwedd dydd ac awgrym pellach o ddiwedd popeth i'r hen wraig. Y mae'r haul â'i fachlud yn tynnu popeth i lawr:

I wely grug
Y mynydd annirwyn.

A dyna inni ansoddair yw *annirwyn*! Mae'r mynydd yn rhy faith i'w hel at ei gilydd; y mae'n para am byth. Arwain y dychymyg yw peth fel hyn a chodi cysgod angau dros y geiriau. Nid trosiad sydd yma, na chyffelybiaeth, ond arwain neu dywys y dychymyg. Trwy'r teimlad sy'n crynhoi trwy'r geiriau y mae yna awgrym o farwolaeth. Dyma'r math o beth sydd, weithiau, yn cael ei alw, yn flêr, yn 'ddarllen i mewn'. Yr hyn ydyw, mewn gwirionedd, yw ymateb i awgrym geiriau—ac y mae creu geiriau sy'n awgrymu mwy na'u hystyr llythrennol yn un o nodweddion barddoniaeth. Sylwer bod yr awgrym yn gyfyngedig; i un cyfeiriad y mae'r dychymyg yn symud trwy'r geiriau hyn: 'all y geiriau ddim golygu unrhyw beth i unrhyw ddarllenydd—awgrym o farwolaeth a diwedd yw'r ymestyniad sydd yn y geiriau.

Unwaith meddai'r bardd yn ei bennill nesaf. A dyna inni air sy'n llawn o chwithdod a hiraeth. Y mae'n cyferbynnu'n naturiol â *bellach*, gair a geir yn y pennill nesaf. *Bu* pethau unwaith: y mae *unwaith* yn air sydd, yma, yn llawn o orffennol. Llawn o fywyd hefyd. Crëir geneth ifanc o'n blaenau, â chyseinedd a chynghanedd lusg:

enethig
Gyflawn-gal*on*, af*lon*ydd,

Mae *nythu* yn air sy'n cysylltu'n naturiol â gwanwyn, â bywyd. Fe'i cysylltir yma—yn annisgwyl fel bod y dychymyg yn cael sioc bleserus —â *goleuni'r haul*. Bywyd, disgleirdeb: dyma'r pethau a oedd yng nghorff, yng ngwallt, ym mywyd yr hen wraig.

Bellach: mae'r gair gwrthgyferbyniol yn cael ei roi ar ddechrau un y pennill nesaf. Y mae ef, a'r disgrifiad a geir yn y pennill, yn dymchwel bywyd y pennill cynt. *Hirwallt gwyn; talcen creithiog; gwlân ar ddrain*—dyma sut y crëir argraff o'r hen wraig yma. Yn lle gweithred naturiol fel *nythu* mae gennym ni galedwch y gwlân wedi ei grafangu ymaith gan ddrain. A dyna, hefyd, y

gwythiennau'n rhydu'n goch.

Fe welir yn amlwg fod agwedd yn y disgrifio hwn; mae bywyd i'r hen wraig yn waeth o'r hanner nag y bu, ac y mae'n cael ei gysylltu â gwlân ar ddrain, â rhydu ac—a dyma inni gysgod angau dros y geiriau eto—â *mynwent.*

Daw *hen* i'n clustiau eto ar ddechrau'r pennill nesaf. Yr ydym i fod i weld yr hen wraig fel hen drol yn *madru* neu ddryllio gydag amser. Ailadroddir geiriau a glywyd yn yr ail bennill ond, yn awr, gyda symudiad gwahanol a chyda mwy o sylw i *Hiraethus*:

> Yn gwylio haul
> Hiraethus Pen Nant yn machlud.

Daw'r *hen* flynyddoedd a hen deimladau yn ôl i gof yr hen wraig.

Y mae cyffyrddiad rhywiol dymunol cariad ifanc yn y pennill nesaf, a cheir yma'r *gwyn* yn lle'r *capan du* a geir yn yr ail bennill:

> swil gyffyrddiad haul
> Â sidan gwyn ei bronnau.

Daw i'r hen wraig gofion cyffyrddiad, oblegid daw cyffyrddiad ei llaw ar ganllaw'r gadlas â chyffyrddiad canllaw arall uwchben dŵr i'w meddwl. *Ers talwm*: fel *unwaith* y mae'r ymadrodd hwn yn ein tynnu ni, a'r hen wraig, o ieuenctid dymunol yn ôl i'r presennol a henaint.

Ceir darnau o bethau bywyd yr hen wraig fel ôl-gipiadau *(flashbacks)* mewn ffilm, yn y pennill nesaf a'r gair *hen* yn cael ei ddrymio trwy ein clyw i'n teimladau:

> Hen chwys, hen wellt,
> Hen lygaid barus yn y niwl,
> Hen chwerthin llesg yr hen leisiau . . .

Y mae rhywbeth drychiolaethus yn yr *Hen lygaid barus* a *Hen chwerthin llesg yr hen leisiau*. Daw'r holl ddarnau hyn o henaint at ei gilydd yn uchafbwynt y llinell:

> Hen wreigan mewn hen gadlas.

Cramen ydyw haenen o waed wedi caledu ar friw: yma y mae'n arwydd o'r hyn sydd ar ôl o fywyd yr hen wraig. Y mae'n danllyd am fod ysfa ynddo sy'n gwneud i'r hen wraig grafu. Crafu y mae hi am ei gorffennol lle'r oedd anterth ei bywyd, lle'r oedd gwaed byw *yn cronni'n llyn.*

Diweddir yr adran hon â chyfeiriad eto at yr Hydref, peth a gafwyd ar y dechrau—y mae'r Gaeaf ar ddod. Yna ceir disgrifiad cartrefol o fynydd, a niwl ar ei ben *Yn ffedog wen* am *darddle'r hirbell afonydd*. Rhoddwyd yr ansoddair *hirbell* o flaen yr enw am ei fod yn tynnu mwy o sylw ato'i hun nag a wnâi ar ôl yr enw. Nid yr olygfa o flaen llygaid yr hen wraig yn unig sydd yma; mae yma hefyd ddisgrifiad o'i bywyd—y mae ei ddechreuad, fel yr afonydd, yn y niwl hen. Ond atgoffâi'r awelon yr hen wraig am ei *diflanedig oriau*—a dyma ansoddair o flaen yr enw eto. *Hirbell, diflanedig, hen*: y mae'r geiriau hyn a holl osgo'r gerdd yn dweud bod marwolaeth ar ddod.

Y mae yma gyflead cyfoethog iawn o hen wraig a'i gorffennol, cyflead sy'n tynnu ar ei hardal ac ar bethau'r ardal—sylwer fel y cysylltir yr hen wraig â phethau ei byd, y mynydd, y dŵr, gwlân ar y drain, rhwd haearn mewn gwlybaniaeth, trol yn araf ddadfeilio. Fe lwyddodd y bardd i greu portread ac ymdeimlad o hen wraig a'i byd, a'r ddau ohonynt yn darfod.

BOBI JONES

Robert Maynard Jones yw ei enw yn llawn. Ganwyd ef ar 20 Mai, 1929, yng Nghaerdydd. Saesneg oedd iaith yr aelwyd, a dysgodd ef Gymraeg yn yr ysgol. Aeth yn ei flaen i astudio Cymraeg yng Ngholeg y Brifysgol, Caerdydd. Tra bu'n fyfyriwr ymchwil fe dreuliodd beth amser yn Nulyn.

Bu am gyfnod yn athro ysgol yn Llanidloes; a Llangefni, Môn; yna bu ar staff Coleg y Drindod, Caerfyrddin, cyn symud i Gyfadran Addysg, Coleg Prifysgol Cymru, Aberystwyth, yn 1959. Fe symudodd o'r gyfadran honno i Adran Gymraeg y coleg yn 1966. Yn 1979 penodwyd ef yn Athro a Phennaeth yr adran honno. Yn ystod ei gyfnod yn y Gyfadran Addysg fe dreuliodd flwyddyn yn Canada a pheth amser yn Affrica.

Ar 27 Rhagfyr, 1952, fe briododd Beti (Anne Elizabeth) James. Y mae ganddynt ddau o blant.

Y mae Bobi Jones yn ysgrifennwr toreithiog. Yn ogystal â barddoniaeth a rhyddiaith greadigol y mae wedi cyhoeddi llyfrau o arolwg llenyddol a beirniadaeth lenyddol, a llyfrau ar addysg, ieithyddiaeth, a chrefydd. Y mae'n feistr ar amryw feysydd. Yn ei gerddi gorau y mae ei ddelweddau'n ffrwydro'n lliwiau fel rocedi yn y dychymyg. Ynddynt fe geir argraff bwerus o egni cyffrous.

Y Gân Gyntaf (1957)
Rhwng Taf a Thaf (1960)
Tyred Allan (1965)
Man Gwyn (1965)
Yr Ŵyl Ifori (1967)
Allor Wydn (1971)
Gwlad Llun (1976)

TRAETH Y DE (ABERYSTWYTH)

Mi alla-i ddeall esgyrn. Un ac un
Wedi eu pilio a'u troi mor olchion-wyn
Gan gyhyrau gorffwyll ei fol. A hyd yn oed
Boncyffion anghyffredin: byddai cnoi eu gafael
Hydwyth yn nannedd ambell nos
Yn rhoi rhyw flas llysieuig. Mi alla-i ddeall
Y cymhelliad i dreulio'r rhain cyn bwrw
Eu gwehil ar draeth. Ond sgidiau! Un ac un,
Dwsinau o bob ffurf a maint a gwneuthuriad.
Pa rin fu yn y rhain? Ac a fu'r môr,
Neu rith ar waelod môr, O ddychryn,
Yn gwisgo'r lledrau hyn, ac yno'n lordian?
Pa ddawnsio? Pa arddangos traed?
Ymhlith cimychiaid, crancod haid, a'u criw
A fu rhyw don sy'n ddigon swil fel arfer
Yn dangos sglein ei sodlau, ac yno'n cicio
Llawenydd y rhain yng ngolwg gwymon dwfn?
Mae meddwl felly am y môr mawr hwn
Yn dodi sgidiau mân, a mentro allan
Yn y gwyll i brancio, mae hyn yn arwydd
O'r sbort sy ar waelod galar: mewn labrinthau
Sy'n llanw o ddagrau glas a thryloyw iawn
Gwelwyd sgidiau trwsgl, di-bâr yn bwrw'r llawr.
Ond beth ddigwyddodd neithiwr? Mewn bwcedaid o sêr
Tu ôl i aeliau'r lleuad, cans dyma'r dŵr
Yn ysgwyd sgidiau o'i draed; ac yna'n droednoeth
Yn pownsio allan i daro'r traeth yn hyderus.
Roedd yna siantio, roedd yna ymestyn,
A llawer siglo llyweth. Ymhlith y cerrig llwyd,
Fel gwiwer ddaeth i fynwent, wedi diota
(Onid yma rywle y waltsiodd Cantre'r Gwaelod?)
Cafwyd perlewygus noson lle y taflwyd
Ymysg y teiars, tuniau ac esgyrn—sgidiau.

TRAETH Y DE (ABERYSTWYTH)

Bobi Jones

ALLOR WYDN (Llyfrau'r Dryw, 1971)

> Mi alla-i ddeall esgyrn.

Deall esgyrn? Beth ydi deall esgyrn? Dyna fel y mae'r bardd yn ein dal ar ddechrau un ei gerdd: y mae'n ennyn ein chwilfrydedd.

O ddarllen ymlaen gwelwn fod *deall esgyrn* yn hollol ddealladwy—fe all y bardd ddeall yn iawn pam y mae yna esgyrn ar draeth Aberystwyth. Wedi bod ym mol y môr y maent ac wedyn cael eu bwrw i fyny ar y traeth.

Mae gan y môr yma fol. Dyma'r hyn a elwir, yn startjlyd, yn 'bersonoli'. Mae'r môr yma'n cael ei droi gan ddychymyg y bardd yn anifail anferth, yn un a chanddo *gyhyrau gorffwyll* yn ei fol. Sylwer eto, cyhyrau *gorffwyll*: a ydi peth fel yna'n gwneud synnwyr? Ydi, siŵr iawn; ffordd y bardd o ddarlunio symudiad y môr a'i donnau ydyw.

Ond nid dyna'i diwedd hi. Mae'r bardd yn rhoi inni argraff groyw a ffres o'r esgyrn gwyn sydd ar y traeth.

> Un ac un
> Wedi eu pilio a'u troi mor olchion-wyn . . .

Y mae tynnu croen (banana efallai) yn dod i'r meddwl. Trwy dynnu croen yr ydych hefyd yn dod at asgwrn. Yma mae'r esgyrn yn olchion-wyn.

O fewn tair llinell y mae wedi dod yn amlwg fod yma ddychymyg pwerus ar waith, y math o ddychymyg sy'n troi un peth yn beth arall ac yn ein synnu trwy wneud hynny. Y mae'r syndod o weld un peth yn troi'n beth arall; neu'n well, o weld un peth trwy gyfrwng peth arall yn un o'r hanfodion sy'n rhoi boddhad llenyddol. (Mae'n hanfod hefyd mewn sgwrsio deheuig petai'n dod i hynny, ac yn un o'r elfennau sy'n cyfrannu at wneud 'cymêr'.) Y mae'r fath weithgarwch ar y dychymyg ag a geir gan Bobi Jones yn rhoi argraff o egni ac ynni a chreu. Mae ei ddychymyg yn doreithiog o luniau a thrawsffurfiadau sy'n fflachio a phlethu drwy ei gilydd. Dyna un rheswm pam y mae ei farddoniaeth yn aml yn rhoi'r argraff ei bod hi'n bownsio gan fywyd ac egni.

Yn ôl â ni i draeth Aberystwyth. Esgyrn yno, ie. Boncyffion hefyd; a gall y bardd ddeall pam y mae'r rheini yno hefyd. Mae eu gafael *hydwyth* (elastig)—yng ngwaelodion y môr, mae'n debyg—wedi cael ei gnoi a'i dorri yn y nos. Wrth eu cnoi ceir blas *llysieuig*—gair synhwyrus gryf. Wedyn dyna eu bwrw ar y traeth. Yma sylwer ar ysfa'r bardd i chwarae â geiriau. Hyd y gwelaf fi, y môr sy'n *cnoi*; ond y mae'n gwneud hynny yn *nannedd* ambell nos—'yn nannedd' rhywbeth yw 'yn wyneb' rhywbeth. Mae meddwl y bardd yn neidio o *cnoi* i *ddannedd*: dychymyg geiriol yn hytrach na dychymyg lluniau yw hyn; fe all fod dipyn bach yn ddyrys.

Mae *gwehil*, y darnau sydd ar ôl o esgyrn ac o foncyffion, ar y traeth. *Ond sgidiau*! A dyna ni'n rhannu syndod y bardd. Fe ddyry inni wedyn argraff o luosowgrwydd y sgidiau ar y traeth:

> Un ac un,
> Dwsinau o bob ffurf a maint a gwneuthuriad . . .

Y mae tinc cynganeddol sy'n tynnu sylw at y geiriau pwysig *rhin* a *rhain* yn y cwestiwn:

> Pa rin fu yn y rhain?

A dyna'r dychmygu ffansïol ysmala yn dechrau arni. A fu'r môr, neu rith yn y môr, yn ei *lordian* hi? *Lordian*; y mae'r gair yma'n gwneud inni weld gosgeiddig draed yn eu dangos eu hunain—

> Pa arddangos traed?

Y mae'r syniad o draed a sgidiau mewn lle mor annhebygol â'r môr mor anghymharus nes bod yn ddigrif; yn llawen-ddigrif yn hytrach nag yn fol-rwygol ddoniol. Ceir cynghanedd i bwysleisio'r odrwydd:

> Ymhlith cimychiaid, crancod haid, a'u criw . . . ,

Fe hanner-droïr *ton* yn ferch swil. Mae *dangos ei bedolau* yn ymadrodd am geffyl bywiog yn dangos ei orchest, neu'n ei ddangos ei hun. Ond nid y dywediad hwn yn hollol a geir yma. Dyma inni ymyrraeth dychymyg geiriol y bardd eto yn troi 'dangos ei bedolau' yn *dangos sglein ei sodlau*. A beth wedyn am *cicio/Llawenydd*? Yma fe geir sioc yr annisgwyl: dyma roi berfenw ac enw haniaethol gyda'i gilydd, ac y mae'r cyfuniad yn brofiad pleserus ac yn rhoi inni beth o hwyl y syniad y mae'r bardd yn ymdrin ag o.

Yn awr y mae'r bardd fel petai'n oedi uwch y syniad o'r môr a'i sgidiau *mân*. (Mae'r *mân* yma'n anarferol gyda sgidiau; ond er bod cyfuniadau anarferol o eiriau'n gallu ein deffro, tybed nad oes yna fwy o anwyldeb pwrpasol yn y dweud cyfarwydd, sef 'sgidiau *bach*?) Y mae'r bardd yn taro ar syniad cynhyrfus yma, sef:

> arwydd
> O'r sbort sy ar waelod galar:

Â yn ei flaen â'r un syniad:

mewn labrinthau
Sy'n llanw o ddagrau glas a thryloyw iawn
Gwelwyd sgidiau trwsgl, di-bâr yn bwrw'r llawr.

Yn y dagrau glas dyma'r sgidiau'n dawnsio; yn rhywle ynghanol galar pethau y mae yna, hefyd, hwyl.

Y mae'r dyfalu hwyliog am y 'neithiwr' a fwriodd y sgidiau ar y traeth yn dechrau wedyn. Braidd yn anodd ydyw dilyn rhediad y darn cyntaf un:

Mewn bwcedaid o sêr
Tu ôl i aeliau'r lleuad, cans dyma'r dŵr
Yn ysgwyd sgidiau o'i draed;

Mae 'bwcedaid o sêr' yn sbarcio gan y dychymyg sy'n cyflwyno inni'r hollol annisgwyl. Ond beth a olyga hyn: a yw'r môr a'r awyr i gyd fel bwcedaid o sêr? A sut y mae'r gair *cans* yn dilyn yma?

Ond o hyn ymlaen y mae yma sbort 'noson fawr' o ddawnsio ac yfed. Mae'r dŵr yn droednoeth ar y traeth! Mae yna siantio, ymestyn cyrff a siglo llywethau'r gwallt—roc a rôl go iawn!

Ymhlith y cerrig llwyd,
Fel gwiwer ddaeth i fynwent . . .

Gwiwer goch yw hon, wrth gwrs! A dyma inni eto egni'r dychymyg, oblegid beth a allai fod yn fwy o syndod o anghymharus na bywiogrwydd gwibiog gwiwer goch mewn marweidd-dra mynwent? Dyna inni wedyn gip cellweirus ar hen waltsio Cantre'r Gwaelod ac yna olion y noson fawr:

Ymysg y teiars, tuniau ac esgyrn—sgidiau.

Cerdd o awen heini, egnïol, lawen, gellweirus yw hon. Y mae yma agwedd gadarnhaol bardd sydd, yn sicr, yn gwybod bod yna alar ond sydd, hefyd, yn gwybod bod yna ddireidi a bod yna lawenydd.

DIC JONES

Ganwyd ar 30 Mawrth, 1934, yn Nhre'r-ddôl ger Taliesin, Ceredigion. Y mae'n ffermwr wrth ei alwedigaeth ac y mae ef a'i deulu'n awr yn byw ym Mlaenannerch, ger Aberteifi, Ceredigion.

Yn Ionawr 1960 priododd Jean (Siân) Jones. Y mae ganddynt bump o blant.

Y mae wedi canu cerddi rhyddion ond fel meistr ar y canu caeth, cynganeddol y'i cydnabyddir yn gyffredin. Ceir yn ei waith gryn dipyn o egni, hwyl a ffraethineb yr hen draddodiad barddol. Y mae'n un o gymdeithas o feirdd, cymdeithas sy'n cael ei galw yn 'Fois y Cilie', ac y mae'n fardd ei gymdeithas leol a'r gymdeithas sydd yna yn y Gymru a'r byd sydd ohoni. Gan ei fod yn ffermwr y mae'n gyfarwydd â ffordd y ddaear ac â threigl y tymhorau, ac yn ei waith—yn gymysg â thractorau a pheiriannau modern ffermio—y mae yna ryw ymwybod hen o ddirgel rymusterau'r byd naturiol. Gwelir hyn yn arbennig iawn yn ei ddwy awdl 'Y Cynhaeaf' ac 'Y Gwanwyn'. Y mae'n gynganeddwr rhugl, ac y mae ei gynghanedd yn 'canu'; hynny yw, y mae'n feistr galluog ar ei grefft.

Agor Grwn (1960)
Caneuon Cynhaeaf (1969)
Storom Awst (1978)

DELYTH (Fy Merch) YN DDEUNAW OED

Deunaw oed yn ei hyder,—deunaw oed
Yn ei holl ysblander,
Dy ddeunaw oed boed yn bêr,
Yn baradwys ddibryder.

Deunaw—y marc dewinol,—dod i oed
Y dyheu tragwyddol,
Deunaw oed, y deniadol,
Deunaw oed nad yw'n dod 'nôl.

Deunaw oed,—dyna adeg,—deunaw oed
Ni wêl ond yr anrheg,
Deunaw oed dy i'engoed teg,
Deunaw oed yn ehedeg.

Echdoe'n faban ein hanwes,—ymhen dim
Yn damaid o lances,
Yna'r aeth y dyddiau'n rhes,
Ddoe'n ddeunaw, heddiw'n ddynes.

Deunaw oed yw ein hedyn,—deunaw oed
Gado nyth y 'deryn,
Deunaw oed yn mynd yn hŷn,
Deunaw oed yn iau wedyn.

Deunaw oed ein cariad ni,—deunaw oed
Ein hir ddisgwyl wrthi,
Deunaw oed yn dynodi
Deunaw oed fy henoed i.

DELYTH (Fy Merch) YN DDEUNAW OED

Dic Jones

STOROM AWST (Gomer, 1978)

Cyfres o englynion yw hon. Y gwahaniaeth rhwng 'cyfres' o englynion a 'chadwyn' o englynion yw fod englynion mewn cadwyn wedi eu cydio yn ei gilydd trwy gario gair neu ymadrodd o linell olaf un englyn i linell gyntaf yr un sy'n ei ddilyn—peth a elwir yn 'gymeriad'.

Y mae un gair yn canu drwy'r gyfres hon. Y gair hwnnw, wrth gwrs, yw *deunaw*. Y mae trawiad y gytsain *d* yn taro trwy'r gyfres hefyd, peth sy'n gryn gamp i'w wneud yn llwyddiannus, fel y gwnaethpwyd yn y gyfres hon. Chwarae â geiriau a seiniau yw hyn. Fe ellir, yn briodol, ystyried un math o chwarae â geiriau yn rhywbeth i'w feirniadu; y mae math arall sy'n gwbl briodol a phwrpasol. Y gwahaniaeth rhwng y naill chwarae â'r llall yw fod y cyntaf yn tueddu i ddibrisio gwerth ac ystyron geiriau a bod yr ail yn cyfoethogi'r geiriau. Y mae'r math hwn o chwarae yn hen beth ymysg beirdd traddodiadol Cymru —ac Iwerddon, o ran hynny. Yn wir, fe ellir ystyried y reddf hon sydd mor ddwfn mewn Cymry a Gwyddelod yn nodwedd Geltaidd hen iawn. Fe geir y chwarae hwn yn rhai o ddarnau mwyaf dwys ein llenyddiaeth megis, er enghraifft, mewn darnau o Ganu Llywarch Hen o tua'r nawfed ganrif ac ym marwnad enbyd Gruffudd ab yr Ynad Coch i Lywelyn ap Gruffudd, y Llyw Olaf a laddwyd yn 1282. Yr hyn sydd wrth wraidd y gynneddf Geltaidd hon yw diddordeb dwfn yn holl bosibiliadau geiriau—eu sŵn, eu hystyr, y profiadau a grëir ganddynt, a'r gwahaniaeth argraff y mae'n bosibl i'r un gair ei greu mewn gwahanol gyd-destun.

Cerdd ddathlu yw hon yn y lle cyntaf, cerdd sy'n edrych yn ôl ar ddathlu dyfod merch i'w hoed. Ond am mai tad y ferch yw'r bardd y mae yn y gerdd, yn gymysg â'r dathlu, brofiad o fywyd yn mynd heibio a'r chwithdod sy'n dod i ganlyn hynny. Y mae yma blethiad o ddathliad a chwithdod, ac y mae'r plethiad hwn o ddau deimlad yn cyfoethogi profiad y gerdd.

Y mae'r dathlu yn canu trwy'r gerdd:

> Deunaw oed yn ei hyder,—deunaw oed
> Yn ei holl ysblander,
> Dy ddeunaw oed boed yn bêr,
> Yn baradwys ddibryder.

Mae'r gynghanedd yn perseinio geiriau pwysig yr englyn ac yn eu sefydlu'n gadarn yn ein clyw a'n meddwl a'n teimlad:

deunaw oed   hyder
deunaw oed   holl ysblander
deunaw oed   boed bêr
baradwys   ddibryder

Cawn *hyder* ac *ysblander* ieuenctid a dymuniadau annwyl y tad.
Â hyn rhagddo yn yr ail englyn. Cenir ieuenctid y ferch:

deunaw   dewinol
dod i oed   dyheu tragwyddol
deunaw   deniadol.

Ond yn y llinell olaf cawn gyffyrddiad o chwithdod y tad:

Deunaw oed nad yw'n dod 'nôl.

Y mae'r tad, a fu yntau yn ddeunaw, yn gweld y tu hwnt i'r amgylchiad ei hun: y mae'n llawn werthfawrogi hud yr oed—*dyna adeg*! Y mae'n gweld ei ferch yn llawn o brysurdeb yr amgylchiad a llawenydd anrhegion. Ond daw'r chwithdod iddo yntau:

Deunaw oed yn ehedeg.

Cwbl naturiol, wedyn, yw'r ystyriaeth ar oes dyn sy'n dilyn. Mae'n ystyriaeth hollol bersonol, ond y mae'r bardd yn cyrraedd at brofiad cyffredin i bawb ohonom.

Echdoe'n faban ein hanwes,—ymhen dim
Yn damaid o lances,
Yna'r aeth y dyddiau'n rhes,
Ddoe'n ddeunaw, heddiw'n ddynes.

Mae *tamaid o lances* yn cyfleu i'r dim anwyldeb teimlad y tad. Fe ellir honni, fel y gwnaeth Syr John Morris-Jones, nad yw'r gair *dynes* yn briodol i rai mathau o ganu (a *rhai* mathau a ddywedodd o, nid pob math fel yr honnir yn aml). Y mae arlliw ein defnydd bob dydd ohono'n gryf ar y gair *dynes*: fe ellwch ddweud 'o wraig', neu 'eneth', neu 'lodes' â rhywfaint o anwyldeb a chariad wrth gyfarch, ond go brin 'ddynes' neu 'fenyw'. Ond yma y mae'r gynghanedd a'i gyd-destun ond y dim ag achub y gair chwithig hwn.

Yn yr englyn nesaf ceir y tad yn gwybod y bydd ei ferch yn gadael cartref,

Gado nyth y 'deryn

Er bod yna nythod digon anghynnes y mae i'r gair *nyth* ryw gynhesrwydd sy'n cyfleu perthynas dda aelwyd. Edrychir ar hynt bywyd y ferch ac, yn sgîl hynny, hynt bywyd pawb ohonom hyd henaint. Mynegir hyn yn gryno, felodaidd, gynhwysfawr, mewn cynghanedd:

Deunaw oed yn mynd yn hŷn,
Deunaw oed yn iau wedyn.

Yn yr englyn olaf crynhoir teimladau'r gerdd—ei dathlu, ei balchder, ei hanwyldeb, ei chariad, ei chwithdod, ei dwyster wrth weld cerdded y blynyddoedd—i gyd gyda'i gilydd, a chloïr y cwbl yn derfynol, a'r *deunaw* yn dal i ganu yn ein pennau.

Deunaw oed ein cariad ni,—deunaw oed
Ein hir ddisgwyl wrthi,
Deunaw oed yn dynodi
Deunaw oed fy henoed i.

Fe nodwyd bod hon yn gerdd bersonol, ond y mae hi'n troi'n gerdd sy'n canu profiad cyffredinol; cyffredinol yn yr ystyr fod darllenwyr yn troi profiad personol y bardd yn brofiad personol iddynt hwy eu hunain ac yn troi perthynas y bardd â'i ferch a'i deulu'n berthynas rhyngddynt hwy a'u teuluoedd. Er enghraifft, go brin y gall unrhyw dad nac unrhyw ferch o oedran cyfrifol, dybiwn i, ddarllen y gerdd hon heb eu gweld eu hunain ynddi hi.

NESTA WYN JONES

Ganwyd ar 22 Mehefin, 1946. Magwyd hi yn Abergeirw, ger Trawsfynydd, Gwynedd. Addysgwyd hi yn Ysgol Dr Williams, Dolgellau, a Choleg Prifysgol Gogledd Cymru, Bangor (1964-69). Am gyfnod bu'n gweithio gyda Chwmni Theatr Cymru. Wedyn bu'n gweithio ym Mangor ar brojeet Cymraeg y Cyngor Ysgolion i baratoi llenyddiaeth ar gyfer plant ysgol. Ar ôl hynny bu'n dal swydd gyda'r Cyngor Llyfrau Cymraeg yn Aberystwyth. Yn 1980, ar farwolaeth ei thad, aeth adref i weithio ar y fferm.

Bu am beth amser yn Israel. Ysgrifennodd lyfr, *Dyddiadur Israel*, am ei phrofiadau yno.

Ar 21 Mai, 1982, priododd Gwilym Jones.

Er nad yw hi ei hun yn ymddangos yn berson penisel o gwbl, y mae Nesta Wyn Jones yn fardd sy'n gallu cyfleu gofidiau tywyll yn neilltuol o effeithiol.

Cannwyll yn Olau (1969)
Ffenest Ddu (1973)

DYCHWELYD

Neithiwr
Fe ddihengais oddi wrthyt
Ar drên
I'r gwyll,
A'r dagrau'n fy mygu,
Gan fod nadroedd trobwll fy meddyliau
Yn ymladd â fflam fy nghalon,
A chlymau dyrys yn tynhau a llosgi
O gylch popeth a garwn.
   Y bore 'ma
Dois yn ôl,
Ac wrth ruthro'n hamddenol heibio i'r traeth
Fe welais i wylan wen
Ar dwyn o dywod gloyw,
Ac ôl ei thraed yn bedol berffaith
Fel y sicr-gamai yn ôl tua'r môr.
   Ac wrth fynd heibio i fynydd
Fe welais frân
Yn ymollwng ar aden fentrus
I'r niwl, oedd yn toi rhyw goedwig.
   Fe ddois yn ôl,
A sicrwydd yn fy meddwl tawel,
Sef, 'rôl darfod sigl y trên,
'Rôl siffrwd trwy'r dail papur-brown at dy dŷ
A chau'r drws,
Yno,
Pan welwn dy wyneb annwyl,
Yr agorwn fy llaw
A rhoi iti'r neges a ddygwyd o bell,
Neges y geiriau hud
Y dihengais rhagddynt,
—'Mod i'n dy garu di.

DYCHWELYD

Nesta Wyn Jones

FFENEST DDU (Gomer, 1973)

Cân serch yw hon. Mae yna faint 'fynnir o gerddi serch, y rhan fwyaf ohonynt yn cynnwys un teimlad melys, yn symud i un cyfeiriad, ac yn cynnwys mawl o ryw fath i wrthrych y serch. Yn aml iawn y mae cerddi o'r fath yn cynnwys geiriau blinedig. Y maent wedi eu defnyddio gymaint nes bod yr ystyr a'r teimlad ynddynt wedi teneuo. Mae geiriau fel *anwylyd, cariad, lloer, cusan, mêl, melys* yn enghreifftiau o eiriau y mae'n anodd (eithr nid yn amhosibl ychwaith) rhoi egni newydd ynddynt mewn canu serch.

Nid cerdd yn symud i un cyfeiriad yw hon; y mae dwy dynfa ynddi, sef ymaith oddi wrth y cariad ac yn ôl tuag ato. Y perygl gyda symudiad un cyfeiriad, yn enwedig mewn canu serch, yw creu melyster sy'n tueddu at y diabetig. Y mae'r tynnu'n groes a geir yn y gerdd hon yn atal hynny rhag digwydd; yn wir, y mae'r croesdynnu'n cryfhau'r argraff o'r cariad sydd yn y gerdd—y mae fel pwynt canol rhaff y mae ei dau ben yn cael eu tynnu'n groes, y mae egni'r tynnu yn y pwynt hwnnw. Tensiwn nid annhebyg i hynny sydd yn y gerdd hon; y mae'r tensiwn hwn yn lladd unrhyw ferfeidd-dra.

Mae'r gerdd yn dechrau â thywyllwch, tywyllwch go-iawn a'r tywyllwch teimlad y mae Nesta Wyn Jones mor dda am ei gyfleu. Tynnir ein sylw at y geiriau: *neithiwr, dihengais, i'r gwyll, dagrau, mygu*. Y mae yma gynyddu teimlad trwy'r geiriau. Yna cyflwynir delwedd eithaf cymhleth sy'n dynodi cymhlethdod y gwrthdynnu yn y llefarydd:

> Gan fod nadroedd trobwll fy meddyliau
> Yn ymladd â fflam fy nghalon . . .

Mae meddyliau'r ymennydd yn tynnu yn erbyn teimlad y galon. Dangosir inni fflam ynghanol trobwll, nid trobwll o ddwfr ond trobwll atgas o nadroedd. Yn yr ail ddelwedd sy'n dilyn sonnir, heb fanylu, am amgylchiadau sy'n bygwth y cariad:

> A chlymau dyrys yn tynhau a llosgi
> O gylch popeth a garwn.

Y tro hwn, y mae'r *llosgi* o'r tu allan ac yn cau ar i mewn. Mae'r geiriau *mygu, tynhau, llosgi* yn creu ymdeimlad o bethau'n cau i mewn ac yn dileu.

Dechreua'r ail bennill gydag amser gwrthgyferbyniol i *neithiwr* y pennill cyntaf:

> Y bore 'ma

Lle'r oedd *dihengais* cawn, yn awr, *dois yn ôl*. Cyfleir symudiad y trên heibio i draeth â'r paradocs:

rhuthro'n hamddenol

Dichon fod yma hefyd gyfeiriad at fethu dod yn ôl yn ddigon buan, fel bod y rhuthr yn ymddangos fel symudiad hamddenol.

Yna cawn ddwy ddelwedd sydd yn tywys y dychymyg at deimlad o godi calon a hyder:

Fe welais i wylan wen
Ar dwyn o dywod gloyw
Ac ôl ei throed yn bedol berffaith
Fel y sicr-gamai yn ôl tua'r môr.

Fe sylwn mai *yn ôl* y mae'r wylan yn mynd hefyd, yn ôl i'r môr a'i bosibiliadau a'i beryglon; ond y mae'n *sicr-gamu* tuag ato yn gwbl hyderus.

A dyna'r ail ddelwedd o'r frân:

Yn ymollwng ar aden fentrus
I'r niwl, oedd yn toi rhyw goedwig.

Y mae yma niwl a choedwig—pwy a ŵyr beth sydd ynddynt? Ond mentro'i siawns a wna'r frân.

Trwy'r delweddau hyn y mae argraff o hyder a sicrwydd wedi bod yn tyfu. Yr ydym yn barod i weld hyn mewn du a gwyn:

Fe ddois yn ôl
A sicrwydd yn fy meddwl tawel . . .

Y mae yna rywfaint o ymatal wedyn, rhyw ddal yn ôl sy'n rhoi llawn rym yn y gair *Yno*, sy'n cael llinell iddo'i hun:

Sef, 'rôl darfod o sigl y trên,
'Rôl siffrwd trwy'r dail papur-brown at dy dŷ
A chau'r drws,
Yno . . .

Lle cafwyd yr argraff o gau i mewn yn y pennill cyntaf fe geir yma ymagor

Yr agorwn fy llaw . . .

Yno y mae'r neges *a ddygwyd o bell*. 'O bell' yn llythrennol ac, yn sicr, 'o bell' yn deimladol—bu yma fyned ymaith.

Y mae i'r geiriau cyfarwydd *annwyl, hud, 'Mod i'n dy garu di* egni ystyr sydd wedi ei gynhyrchu gan y gerdd. Y mae'r llefarwr wedi dianc rhag y teimlad o garu: yn awr y mae wedi ei dderbyn ac y mae hynny fel hudoliaeth yn agor y byd iddi, fel y mae hi'n agor ei llaw. Diweddir y gerdd â hen, hen eiriau sydd yma wedi eu haileni gan gerdd newydd.

ALAN LLWYD

Ganwyd ar 15 Chwefror, 1948. Magwyd ef yng Nghilan, ger Abersoch, ym Mhen Llŷn. Bu'n ddisgybl yn Ysgol Uwchradd Botwnnog.

O 1967 hyd 1972 bu'n fyfyriwr yng Ngholeg Prifysgol Gogledd Cymru, Bangor. Gwnaeth waith ymchwil ar gyfoeswyr Dafydd ap Gwilym. O 1973 hyd 1974 bu'n rheolwr siop lyfrau Cymraeg yn Y Bala. O 1976 hyd 1980 bu'n gweithio yng Ngwasg Christopher Davies yn Abertawe. Yn 1980 penodwyd ef ar staff Adran Gymraeg, Cydbwyllgor Addysg Cymru, Caerdydd. Yn 1982 dyfarnwyd iddo ysgoloriaeth gan Gyngor Celfyddydau Cymru i'w alluogi i ymroi i lenydda am flwyddyn.

Yn 1976 priododd Janice Harris. Y mae ganddynt ddau o fechgyn. Ar hyn o bryd y maent yn byw yn Nhre-boeth, ger Abertawe.

Alan Llwyd oedd un o brif symbylwyr y diddordeb newydd yn y gynghanedd dros y deng mlynedd diwethaf ac ef oedd sefydlydd cymdeithas Barddas. Y mae'n gyd-olygydd ei phapur misol hi. Y mae'n fardd, beirniad a golygydd toreithiog. Ymhlith ei orchestion y mae ennill coron a chadair yr Eisteddfod Genedlaethol yn yr un flwyddyn. Cyflawnodd y gamp hon ddwywaith—yn Rhuthun (1973) ac yn Aberteifi (1976).

Y mae'n gynganeddwr naturiol. Dengys ei gyfrolau cynnar ddiddordeb gwladwr ym myd natur a'i greaduriaid a diddordeb gŵr ifanc yn nhynged ei genedl. Yn ei gyfrolau diweddaraf y mae'n fardd serch ac yn fardd sy'n edrych ar ryfeddod ac enbydrwydd y byd trwy lygaid tad. Y mae, hefyd, yn fardd sydd wedi canu cerddi i nifer o bobl.

Y March Hud (1971)—dan yr enw Alan Lloyd Roberts
Gwyfyn y Gaeaf (1975)
Edrych trwy Wydrau Lledrith (1975)
Rhwng Pen Llŷn a Phenllyn (1976)
Cerddi'r Cyfannu a Cherddi Eraill (1980)
Yn Nydd yr Anghenfil (1982)
Marwnad o Dirdeunaw a Rhai Cerddi Eraill (1983)

YR ELYRCH AR LYN MARGAM

Yn neufyd eu cynefin
  y nofiant hwy'n y tes,
elyrch dan haul Mehefin
  yn gryndod yn y gwres:
nofio'n osgeiddig is y gwŷdd
a sglein eu plu yn dallu'r dydd.

Fel barrug y bargodion
  yn dadmer gyda'r glaw
y gwaedir eu cysgodion
  yn wyn i'r llyn gerllaw,
ac yno y mae'r elyrch blith
yn un eu cyrch â'r elyrch rhith.

Gan chwalu'r nen â'u pennau
  wrth wyro'n llaes i'r llyn,
yn unol â'r elfennau
  y nofiant hwy fan hyn:
awyr a dŵr, a'r dŵr ar dân,
a'r pridd islaw'r crychdonnau mân.

O'r dyfroedd a glaerwynnant,
  heb hidio'r rhod a dry,
yn gannaid yr esgynnant
  i'w hanfarwoldeb fry,
a gadael eu cysgodion gwyn
yn eira llachar ar y llyn.

YR ELYRCH AR LYN MARGAM

Alan Llwyd

CERDDI'R CYFANNU A CHERDDI ERAILL (Christopher Davies, 1980)

Gosgeiddrwydd ei miwsig, ei symudiad rhythmig cyfareddol, yw'r peth sy'n taro rhywun gyntaf yn y gerdd hon. Y mae pob pennill â'i wead odlau, cyflythrennu, a chynghanedd yn creu argraff gref a hyfryd o *siâp* glân o sŵn. Dyma yw canu gwirioneddol o fewn patrwm, y peth hwnnw sy'n gynhenid wahanol i wers rydd. Cynhenid wahanol am fod yr argraff o siâp pendant yma'n cyfrannu at ein hymwybyddiaeth o drefn, trefn gyfrin y mae'r bardd yn ymdeimlo â hi yn ei bwnc. Yr agwedd glasurol ar yr awen yw peth fel hyn, sef y duedd yma a fu mewn llenyddiaeth o'r dechrau, ac sy'n dal ynddi hi, i ymateb trwy ffurfiau arbennig. A gor-symleiddio pethau, fe ellir dweud bod elfen o brofiad yn llifo i ffurf mewn clasuriaeth; y mae'r profiad yn tueddu i greu ei ffurf ei hun mewn rhamantiaeth. (Fe ellir nodi, wrth fynd heibio, fod yna nifer o weithiau llenyddol sy'n gymysgedd o glasuriaeth a rhamantiaeth, ond nid ein busnes ni yw trafod hynny yma.)

Wrth ganu trwy ffurf bendant y mae rhai'n bustachu i gael geiriau i odli, i gael y nifer priodol o sillafau i linellau, ac yn llusgo geiriau i'w cerddi i greu odl a hyd: 'geiriau llanw' yw geiriau felly. 'Does dim o hynny yma; ac y mae'r cwbl yn ymddangos yn rhwydd a naturiol. Dyna ran o gelfyddyd y bardd. Y mae gwir mawr yn yr hen ddywediad fod 'celfyddyd yn cuddio celfyddyd', sef yn gwneud i bethau ymddangos yn hawdd. Y tu ôl i'r rhwyddineb hwn y mae crefft eiriol ac ymarfer hir â geiriau.

Dechreua'r gerdd â llinell o gynghanedd:

> Yn neufyd eu cynefin

Beth yw deufyd yr elyrch? Y mae'r elyrch go-iawn yn nofio ar Lyn Margam; y mae eu cysgodion yn y dŵr. *Ar* y llyn, *yn* y llyn: dyna ddau fyd yr elyrch. Y mae'r *deufyd* hyn yn awgrymu bod yna rywbeth rhyfedd ynglŷn â'r elyrch, achos 'dydi bod mewn dau le ar unwaith ddim yn beth gor-gyffredin!

Pwysleisir rhyfeddod ac arbenigrwydd yr elyrch:

> a sglein eu plu yn dallu'r dydd.

Y mae'r gynghanedd yma, fel ym mhob un o gynganeddion y gerdd, yn gweithio'i phwrpas, yn tynnu sylw'r glust a'r llygad at eiriau allweddol: *sglein, plu, dallu, dydd.*

Eir ymlaen i esbonio deuoliaeth yr elyrch, a hynny mewn modd trawiadol iawn. Fel y mae barrug ar ochr to'n dadmer a diferu, y mae'r elyrch yn diferu eu cysgodion i'r llyn:

> y gwaedir eu cysgodion
> yn wyn i'r llyn gerllaw,

Y mae yma syniad cymhleth: y mae'r elyrch gwyn yn gwaedu. Dyma inni'r sioc bleserus o gysylltu dau beth cwbl wahanol, diberthynas. Gan fod coch yn dod i'r meddwl yn syth pan grybwyllir gwaed mae'n rhaid pwyleisio'r gwynder; a gwneir hynny. Y mae *gwyn* yn wynnach am ei fod yn odli â *llyn* yn y llinell:

> yn wyn / i'r *ll*yn / ger*ll*aw,

nag y byddai pe dywedid:

> yn wyn i'r afon acw.

Dyna un o effeithiau odl ar eiriau. Y mae cyfatebiaeth y gytsain *ll* yn rhoi siâp hyfryd o sŵn i'r llinell.

Ystyr y gair *blith* yw 'llaethog'. Y mae'r bardd yn dal i bwysleisio'r gwynder rhyfeddol a welodd. Yn nwy linell olaf y pennill hwn gwneir deuoliaeth yr elyrch yn gwbl eglur inni eto.

Y mae rhyfeddod yr elyrch yn cael ei ddyfnhau yn y pennill nesaf. Y maent yn plygu eu pennau, yn plymio eu pennau i ddŵr y llyn; y mae'r symud pennau hwn yn creu symudiad yn erbyn yr adlewyrchiad o'r awyr yn y dŵr, yn *chwalu'r nen* chwedl y bardd. Mae cyffro'r elyrch yn cael effaith ar yr awyr a'r dŵr. Arweinia hyn ddychymyg y bardd at yr hen syniad o bedair elfen bywyd—awyr, dŵr, tân a daear neu bridd. Y mae wedi sôn yn barod am awyr a dŵr; daw â'r elfen arall i mewn trwy ddweud bod yna liw neu argraff o dân yn y dŵr a bod symudiad y dŵr yn tarfu'r pridd:

> awyr a dŵr, a'r dŵr ar dân,
> a'r pridd islaw'r crychdonnau mân.

Trwy wneud hyn y mae'r bardd yn awgrymu bod yna ryw berthynas gyfrin rhwng yr elyrch â bywyd; y maent, meddai:

> yn unol â'r elfennau.

Yn y pennill olaf y mae gwynder eithriadol yr elyrch yn dal i gael ei bwysleisio:

> O'r dyfroedd a glaerwynnant . . .
> yn gannaid yr esgynnant . . .
> . . . eu cysgodion gwyn
> yn eira llachar . . .

Y mae ail linell y pennill:

> heb hidio'r rhod a dry,

yn dweud wrthym nad yw'r elyrch hyn yn malio am amser. Ac y maent yn codi o'r dŵr:

> i'w hanfarwoldeb fry

Y maent yn mynd o fyd amser i anfarwoldeb y nefoedd. Ond y maent yn gadael eu heffaith ar eu holau:

> a gadael eu cysgodion gwyn
> yn eira llachar ar y llyn.

Du yw cysgodion fel arfer (er bod lluniau pethau gwynion yn wynion mewn dŵr); y mae eu troi'n wyn yn rhoi inni syndod yr annisgwyl. Y mae'r llinell olaf yn dwyn y gerdd i uchafbwynt ac yn ei chloi'n hyfryd.

Erbyn inni gyrraedd diwedd y gerdd fe ddylem deimlo fod y bardd yn arwain ein dychymyg at rywbeth heblaw'r elyrch go-iawn a welodd ar Lyn Margam—er bod i'r elyrch go-iawn eu lle pwysig yn ei weledigaeth. At beth y mae'r bardd yn arwain ein dychymyg? Y mae'n cyfeirio at rywbeth nid cwbl annhebyg i Einir Jones yn ei cherdd hi, 'Tân yn y Dŵr'. Y mae yna bethau mewn bywyd sy'n ein codi goruwch pethau materol ac yn peri inni deimlo bod yna bethau anfarwol, goruwch y naturiol: y mae fel teimlo bod dyn yn enaid yn ogystal ag yn gorff. Y profiad o deimlo hyn yw pwnc y gerdd. Trwy gyfryngau pethau go-iawn y daw'r profiad; pethau go-iawn yw'r elyrch ar Lyn Margam. Ac wedi i'r pethau sy'n ysgogi'r profiad fynd y maent yn gadael y cof amdano a'r ymdeimlad ohono ar ôl fel

> cysgodion gwyn
> yn eira llachar ar y llyn.

EINIR JONES

Ganwyd ar 6 Tachwedd, 1950. Magwyd hi yn y Traeth Coch, Môn. Y mae ei thad, Edward Jones, yn fardd ac yn gynganeddwr.

Addysgwyd hi yn Ysgol Gyfun Llangefni a Choleg Prifysgol Gogledd Cymru, Bangor (1969-74). Yn y coleg ysgrifennodd draethawd M.A. ar y wers rydd. Treuliodd flwyddyn yn hyfforddi ar gyfer bod yn athrawes yng Ngholeg Prifysgol Cymru, Aberystwyth. Bu'n athrawes yng Nghas-mael am flwyddyn.

Ar 9 Medi, 1972, priododd y Parchedig John Talfryn Jones. Y mae ganddynt dri o blant. O 1972 hyd 1977 buont yn byw yn Ninas Cross, yr hen Sir Benfro. Y maent yn awr yn byw yn Rhydaman.

Y mae barddoniaeth Einir Jones yn gyforiog o ddelweddau lliwgar, byw ac ysgytwol. Ceir yn ei gwaith ymateb diddorol ac iraidd o synhwyrus i droeon bywyd.

Pigo Crachan (1972)
Gwellt Medi (1980)

TÂN YN Y DŴR

Yr oedd y pysgod
yn y dŵr
fel tân-gwyllt.

'Cyn i mi blygu ymlaen
i roi tân wrth eu cynffonna'
mi roedden nhw wedi mynd

yn rocedi
orengoch,

gwibio
ymfflamychu
diflannu
yn nos y pwll.

A gadael rhywbeth ar eu holau
fel ogla'
noson gei-ffôcs
o'r bore wedyn,

yr hiraeth ód
am y peth
na fedrir ei ddal
na'i ddofi

na'i amgyffred
â llygaid
na dwylo

dim ond ei wylio
wrth iddo fflachio ei ogoniant
a diflannu.

TÂN YN Y DŴR

Einir Jones

GWELLT MEDI (Gwasg Gwynedd, 1980)

Dweud yr annisgwyl, onid yr amhosibl, y mae teitl y gerdd hon. Ond dyma inni fardd sy'n gwneud yr annisgwyl yn rhyfeddod derbyniol â'i dychymyg caleidosgopig. O ysgytwad i ysgytwad, yn union fel pe baem yn edrych drwy galeidosgop, mae pethau'n newid o ryfeddod i ryfeddod ganddi:

> Yr oedd y pysgod
> yn y dŵr
> fel tân-gwyllt.

Fel tân-gwyllt? Felly'n union. Dangoswch eich trwyn dros dorlan pwll ac fe gewch chwi weld pysgod nad ydyn nhw'n gynefin â dynion yn diflannu fel . . . fel tân-gwyllt.

Fe gynhelir y ddelwedd sylfaenol hon o dân-gwyllt trwy ran helaeth o'r gerdd. Yn yr ail bennill y mae'r bardd yn sôn am blygu ymlaen:

> i roi tân wrth eu cynffonna'

fel y bydd rhywun yn tanio tân-gwyllt. Ond 'does dim *fel* yn y pennill erbyn hyn—y mae'r pysgod bellach *yn* dân-gwyllt.

Crëir argraff o ddiflaniad chwipyn y pysgod gan ddal at ddelwedd y tân-gwyllt. Maent yn mynd

> yn rocedi
> orengoch,

Mae argraff o whisian mynd ac argraff gref o liw yma. Delir ati i roi argraff o'r symud ymaith sydyn:

> gwibio
> ymfflamychu
> diflannu
> yn nos y pwll.

Erbyn hyn y mae'r pwll yn nos: y mae'r pysgod wedi saethu i'r tywyllwch.

Beth sydd yn aros ar ôl tân-gwyllt a choelcerth y pumed o Dachwedd? Aroglau. Y mae'r bardd yn defnyddio'r aroglau hyn sy'n aros y bore wedyn i ddynodi argraff o'r tân-gwyllt ac argraff o'r pysgod ar ein synhwyrau.

Mae'r bardd, wedyn, yn troi'r aroglau hyn yn *hiraeth ód* am y profiad nad oes dal arno. Ni ellir gwneud

dim ond ei wylio
wrth iddo fflachio ei ogoniant
a diflannu.

Enghraifft o'r gogoniant hwn yw pysgod y gerdd hon, y pysgod y mae eu diflaniad wedi ei serio ar ein synhwyrau trwy i'r bardd eu cyffelybu a'u huniaethu â thân-gwyllt. Ond nid cyfeirio at bysgod yn unig y mae'r gerdd: y mae hi'n ddameg am bethau arbennig bywyd, y dirgelwch a'r rhyfeddod ynddo na ellir mo'u dal, ac y mae yma fynegi'r hiraeth anniffiniadwy am bosibiliadau bywyd. Mae yma gip ar rywbeth tebyg i'r hyn a geir yn y syniad o Eden cyn y Cwymp, y byd dibechod hwnnw. Mae hyn i gyd yn y gerdd fechan eglur agos-atoch-chwi, danbaid, brydferth hon.

SIÔN EIRIAN

Ganwyd ar 26 Mawrth, 1954. Y mae'n fab i'r bardd Eirian Davies a'r ddiweddar Jennie Eirian. Yn Hirwaun y treuliodd flynyddoedd ei febyd. Yna bu iddo symud i Frynaman, ac oddi yno i'r Wyddgrug.

Bu yn Ysgol Uwchradd Maes Garmon, a rhwng 1972 a 1975 bu'n fyfyriwr yng Ngholeg Prifysgol Cymru, Aberystwyth. Y mae'n awr yn gweithio yn Adran Ddrama'r B.B.C. yng Nghaerdydd. Y mae wedi ysgrifennu dramâu a nofel, *Bob yn y Ddinas*. Fe enillodd goron Eisteddfod Genedlaethol Caerdydd, 1978.

Ar 6 Medi, 1980, priododd Erica New.

Bywyd trefol a geir yng nghrynswth gwaith Siôn Eirian, cosmopolitaniaeth yr ugeinfed ganrif. Y mae peth o wewyr, o sgrech rwystredig a dinistriol ei genhedlaeth yn ei ganu, ynghyd â rhyw ymchwil am dipyn o dynerwch.

Plant Gadara (1975)

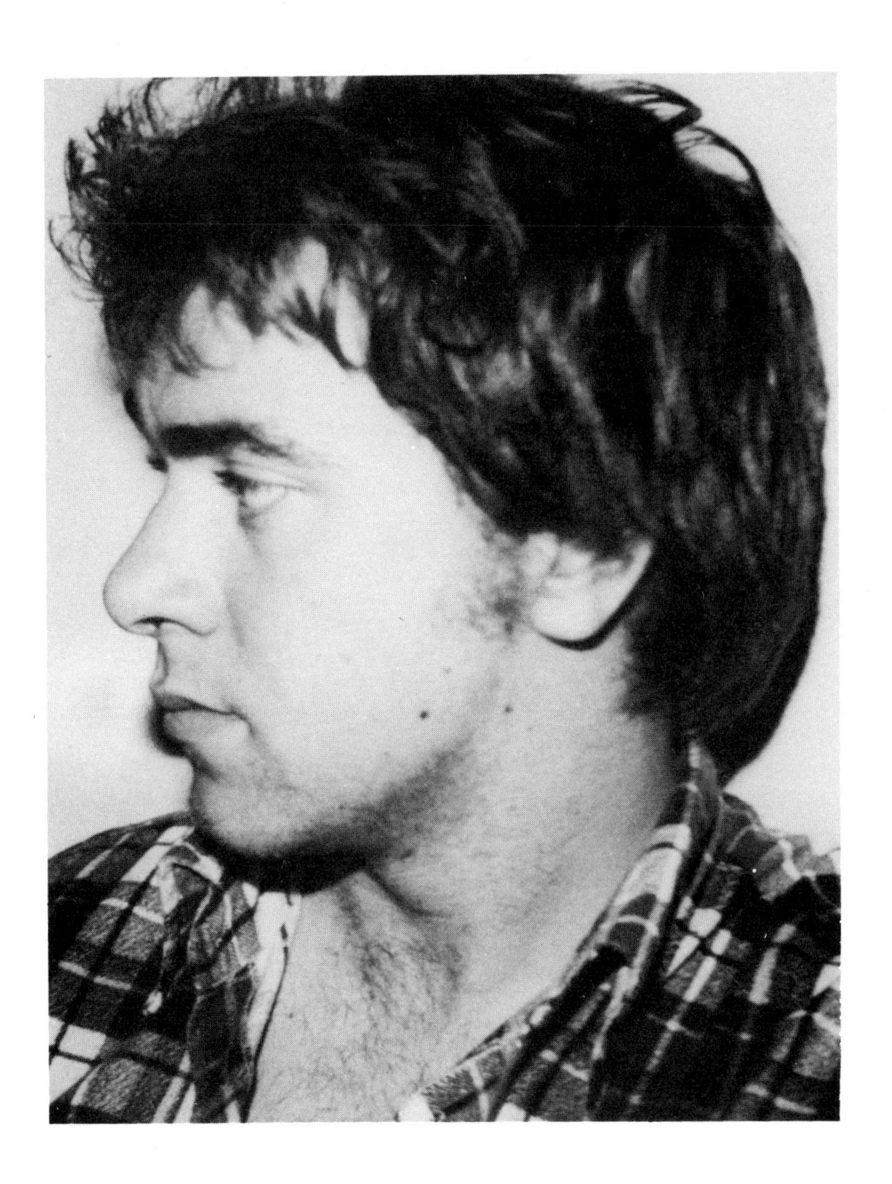

AGRO

Wrexham agro,
gorthrwm,
trwm iawn, very heavy
our boots, our byd.

gorthrwm yn magu gorthrwm;
gwadnau lleder cenedlaethau
o ddiaconiaid a landlordiaid
yn magu'r genhedlaeth hon
o wadnau trymion y traed ifainc;
gwadnau gonest sy'n mynnu gwaed,

eich palmentydd concrid chi
yw cynfas ein cynddaredd ni,

smotiau gwaed
o Groglith
gwareiddiad.

AGRO

Siôn Eirian

PLANT GADARA (Gomer, 1975)

> Red sky at night
> Toxteth's delight,

meddai rhyw wág wrth fy ochr mewn cae criced yn Awst 1981. Mae'n syn fel y gellir troi hyd yn oed awyr goch danllyd a dychrynllyd Lerpwl 1981 yn ysmaldod. Mae eraill, mwy cyfrifol, wrthi'n archwilio'r dychrynfeydd hyn, ac yn gofyn: Pam? Beth sydd? Pam y casineb enbyd? Beth sy'n digwydd i gymdeithas? Beth sy'n bod ar bobl ifainc heddiw?

Yn y gerdd hon y mae bardd ifanc yn dweud pam, ac yn gweld y tu hwnt i helyntion y strydoedd. Yr agro penodol yn y gerdd, wrth gwrs, yw agro caeau pêl-droed, yma *Wrexham agro*. Y mae'r geiriau ar y dechrau wedi eu plethu'n gelfydd i'w gilydd i gyfleu trymder yn gain ei seiniau—y mae yna hyd yn oed gynghanedd yn

> our boots, our byd.

Ac y mae'r cymysgedd hwn o Gymraeg a Saesneg rywfodd yn gweddu yma, am ei fod yn creu argraff o gymdeithas arbennig. *Gorthrwm, trwm, heavy*: mae pethau'n drwm, yn pwyso ar yr ifanc. Ond sylwer, hefyd, fel y mae'r trymder sydd arnynt yn troi yng nghanol y frawddeg i ddynodi'r trymder y maent hwythau yn ei ddangos i'r byd, i'w gicio:

> . . . very heavy
> our boots . . .

Mae hyn yn cael ei nodi'n blaen ar ddechrau'r ail bennill:

> gorthrwm yn magu gorthrwm.

Y mae'r ifainc, meddai'r bardd, wedi cael eu pwyso i'w mowld, wedi cael eu sathru dan

> wadnau lleder cenedlaethau
> o ddiaconiaid a landlordiaid.

Gwadnau lleder: dyma inni eto y ddelwedd o esgidiau trymion. Y mae pwysau'r esgidiau hynny wedi magu:

> gwadnau trymion y traed ifainc.

Yna y mae'r bardd yn rhoi ei farn am ei genhedlaeth; y mae hi, meddai, yn *onest* hyd yn oed os yw hi'n *mynnu gwaed*. Pwysau ar ysbryd cenhedlaeth, dyna sydd wedi ei chreu hi: dyna farn y bardd.

Dengys inni, wedyn, y dinasoedd:

> eich palmentydd concrid chi
> yw cynfas ein cynddaredd ni.

Caledwch, dyna a gyflea'r palmentydd concrid. Sylwer ar *chi*. Caledwch a grewyd gan y genhedlaeth gynt yw cyfrwng cynddaredd y genhedlaeth ifanc. *Cynddaredd*: dyna'r union air Cymraeg am *agro*. Sylwer hefyd ar *ni*. Y mae'r bardd yn ei uniaethu ei hun â'r genhedlaeth gynddeiriog a grewyd.

Cynfas, meddai'r bardd. Ar gynfas y mae artistiaid yn peintio. Beth sydd ar y gynfas hon? Mae'r ateb yn un i beri inni i gyd arswydo. Y mae wedi ei fynegi'n gryno a brawychus:

> smotiau gwaed
> o Groglith
> gwareiddiad.

Y mae arwyddion croeshoeliad gwareiddiad yng nghynddaredd y genhedlaeth ifanc, yn *ein cynddaredd ni* yn ôl safbwynt y bardd. Y mae'r *ni* yma yn cymhlethu a chyfoethogi a dyfnhau'r dweud oherwydd nid condemnio'n sâff y mae'r bardd ond ei deimlo'i hun yn rhan o broses o ddinistr, o farwolaeth greulon—*croeshoeliad*. Y mae'n dweud wrthym fod anwarineb brawychus ar droed.

Cerdd fer yw hon, fel y gwelir, ond y mae hi'n gerdd i'n hysgwyd ni. Ynddi y mae yna ddarllen sumtomau, a chysylltu rhialtwch caled pnawn Sadwrn â thynged erchyll gwareiddiad.